Chères lectrices,

Le Brésil… Le simple que du Sud ne suscite-t-il pas en vous des envies de voyage ? N’avez-vous pas soudain envie de paresser sur des plages de sable blanc, de contempler la baie de Rio illuminée de mille feux, d’esquisser un pas de samba lors du carnaval ? Et pourquoi pas, de rencontrer un de ces hommes fiers et ténébreux, dont le regard sombre et intense semble une invitation à l’aventure ?

Pour notre plus grand plaisir, c’est dans ce pays vibrant de passion que nous emmène ce mois-ci Michelle Reid, avec le deuxième volet de la trilogie « Héritage pour trois playboys » (Azur n° 2589). En lisant ce roman intense et prenant, vous découvrirez comment Anton, le deuxième fils illégitime d’Enrique Ramirez, doit retrouver et épouser la belle Cristina, la femme qu’il a jadis follement aimée et qui l’a trahi. Entre eux deux, dans un décor exotique et sensuel, la passion va de nouveau flamber, incandescente.

Excellente lecture,

La responsable de collection

Le mois prochain,
retrouvez pour la dernière fois

de Barbara Hannay

Cette fois, Sarah doit affronter la réalité : luttant visiblement contre lui-même, Reid McKinnon s'est de nouveau détourné d'elle... Déçue et blessée, elle décide de tout quitter pour échapper à son chagrin. Mais pourra-t-elle cesser un jour de se demander quel est le terrible secret qui empêche l'homme qu'elle aime de s'abandonner à ses sentiments ?

Ne manquez pas
le 1er juin votre rendez-vous :

Le secret de Southern Cross

— Azur n° 2598 —

Coup de foudre à Brisbane

BARBARA HANNAY

Coup de foudre à Brisbane

COLLECTION AZUR

*éditions*Harlequin

Cet ouvrage a été publié en langue anglaise
sous le titre :
THE BLIND DATE SURPRISE

Photo de couverture

© PHOTODISC / GETTY IMAGES

83-85, boulevard Vincent-Auriol, 75013 PARIS — Tél. : 01 42 16 63 63
Service Lectrices — Tél. : 01 45 82 47 47
ISBN 2-280-20494-0 — ISSN 0993-4448

Prologue

Extrait du Courrier des lectrices
du *Mirrabrook Star*, journal de la Star Valley.

Chère Mamie Conseil,

Je ne supporte plus la solitude du bush : pas de cinéma, pas de boîte de nuit, pas de café à moins de deux cents kilomètres. Dans ces conditions, comment rencontrer des garçons ? Les rares qu'il m'est arrivé de connaître se sont révélés d'une banalité affligeante. Par Internet, j'en ai rencontré un, chaleureux, amusant, et très intelligent. Je suis amoureuse et je n'ai qu'une idée : aller à Brisbane faire sa connaissance. Mais comme on m'accuse toujours d'agir trop impulsivement, je vous demande conseil : dois-je le faire ?

La recluse de Mirrabrook.

Chère recluse de Mirrabrook,

Si vous êtes aussi esseulée que vous le dites, et que votre cyber-romance marche bien, pourquoi ne pas rencontrer ce garçon ? Sans doute hésitez-vous par peur d'être déçue, d'être tombée amoureuse d'un homme idéal qui n'est pas réel. Cela peut se comprendre, mais si vous recherchez une relation sérieuse, il est indispensable de connaître la personne telle qu'elle est, et donc de la voir.

Evidemment, prenez certaines précautions. Pourquoi ne pas organiser une double rencontre : lui viendrait avec son meilleur ami, et vous avec la vôtre ? Si ce n'est pas possible, assurez-vous que l'entrevue se fera dans un lieu public. Autre précaution : un ou une de vos ami(e)s à Brisbane devra connaître l'heure et le lieu du rendez-vous, et être joignable par portable à tous moments.

Une fois ces détails réglés, allez-y. Oubliez le vieux cliché qui veut que l'avenir appartienne à ceux qui savent attendre. Il appartient à ceux qui le veulent et agissent.

Bonne chance,

Mamie Conseil.

1.

Un jean *rose* !

Annie McKinnon ne voulait surtout pas penser à ce qu'auraient dit ses frères s'ils l'avaient vue. Et pas seulement eux mais tous les gens de Mirrabrook, la petite ville du bush où elle vivait. Elle avait beau porter des pantalons depuis l'âge de trois ans, quand son frère Kane l'avait pour la première fois hissée sur un cheval, jamais elle n'aurait eu l'idée de mettre un jean rose ! Et encore moins des talons aiguilles…

Et pourtant c'est dans cette tenue qu'elle traversait la réception d'un des hôtels les plus chic de Brisbane : jean rose à taille basse, top adorable de soie blanche, et sandales pailletées à talons vertigineux. Pour un peu elle se serait prise pour une star ! Voilà ce qui arrivait quand on suivait aveuglément les conseils de ses amies…

— Tu peux faire confiance à Victoria, avait dit Melissa. C'est une vraie fashion victime.

Et Victoria avait été catégorique :

— Quand on rencontre un garçon qu'on a connu sur Internet, il faut absolument taper *juste*.

Et parce qu'Annie connaissait Melissa depuis le pensionnat, que celle-ci habitait Brisbane depuis des années, Annie s'en était remise à elle. Et à Victoria, qui partageait l'appartement de son amie.

Le trio avait couru les boutiques, et Annie avait vite compris sa chance d'avoir des amies aussi averties en matière de mode. Seule, elle aurait fait *tous* les mauvais choix !

Pour commencer, elle avait foncé tout droit vers le rayon des robes de cocktail.

— Erreur ! avait déclaré Victoria en secouant ses jolies boucles. Ton Damien pourrait croire que tu veux l'impressionner. Si tu es trop chic ou trop habillée, tu risques de lui faire peur.

Après un dernier regard nostalgique aux taffetas, lamés et autres tissus scintillants de ses rêves, Annie s'était laissé entraîner vers le rayon des jeans.

— Il ne faut jamais les sous-estimer, avait expliqué Victoria avec la patience dont on use avec les néophytes. Suivant ce qu'on porte avec, ils font sophistiqué ou décontracté, mais ils sont toujours dans le ton.

— Mais… dans le bush, je suis tout le temps en jean. Et Damien sait d'où je viens. Tu ne crois pas qu'un jean risque de faire un peu plouc ?

— Tu as raison, je n'y avais pas pensé.

Mais trente secondes après, Victoria avait eu une idée de génie.

— Je sais ! s'était-elle écrié. Un jean rose, voilà ce qu'il te faut. Tiens, celui-là ! Et tu l'assortis avec un top genre caraco. Regarde celui-ci ! Un rêve, non ?

Elle avait sorti un cintre d'un des portants et agité devant Annie une petite chose aérienne et soyeuse d'un blanc immaculé.

— Divin, non ?

Rose et blanc ? Annie aurait l'air d'une meringue à la fraise... Mais elle avait préféré ne rien dire. Elle avait essayé les vêtements, très confortables, et... très flatteurs, elle avait dû en convenir.

Mais les talons hauts avaient fait l'objet d'une lutte plus âpre.

— Et si Damien n'est pas très grand ? avait-elle dit.

Melissa était intervenue.

— Il n'a pas l'air petit sur la photo qu'il t'a envoyée.

— Les photos, ça peut se truquer, avait rétorqué Annie, qui avait passé de nombreuses nuits à s'inquiéter de cette catastrophique possibilité.

— Ecoute, si Damien est petit, tu seras plus grande que lui, talons ou pas.

Annie avait invoqué un autre argument.

— Pas question que je dépense cent cinquante dollars pour trois lanières de cuir piquées de paillettes.

— Ne t'inquiète pas, avait fait valoir Victoria d'une voix suave, les cartes de crédit, c'est fait pour ça...

Escortée de ses amies, Annie se posta devant l'ascenseur qui la mènerait au restaurant italien La Piastra, au vingt-septième étage. Pour y rencontrer Damien.

Damien... Rien qu'en pensant à lui, son estomac se nouait ! Il était ridicule d'avoir des espoirs aussi fous, mais Annie n'y pouvait rien. Pour le rencontrer, elle avait parcouru les milliers de kilomètres qui séparaient Brisbane de l'exploitation familiale de Southern Cross, dans le Queensland. Il fallait *vraiment* que ça marche !

Et ça marcherait.

Leurs conversations sur Internet, ces six dernières

semaines, indiquaient qu'ils avaient tout pour s'entendre. Tous deux adoraient les chiens, la pop musique, ils lisaient beaucoup et s'interrogeaient sur des sujets graves comme le destin et le hasard, l'avenir du monde, etc. Communiquer avec lui avait été agréable, stimulant intellectuellement, amusant et… oui, excitant aussi.

Pour ne rien gâcher, elle et Damien adoraient tout ce qui était italien, en particulier les pâtes linguine.

D'où le choix du restaurant La Piastra pour leur première rencontre.

Quand Damien lui avait envoyé sa photo par e-mail, Annie avait complètement perdu la tête. Il avait l'air si sexy ! Des yeux bleus, d'épais cheveux bruns légèrement décolorés par le soleil, une bouche sensuelle, et un sourire adorable ! Pourvu que sa photo à elle lui ait fait autant d'effet qu'il l'avait assuré ! Parce que, elle le sentait dans toutes les fibres de son être, Damien était l'homme qu'il lui fallait.

Et elle allait le voir en chair et en os dans quelques instants !

Elle avait exactement six minutes de retard : le timing parfait, selon Melissa et Victoria. Le cœur tambourinant dans sa poitrine, elle respira profondément tandis que les deux filles la mitraillaient de leurs ultimes recommandations.

— N'oublie pas, ne sois pas trop sérieuse. Détends-toi et rigole.

— Mais ne bois pas trop.

— Surveille son langage corporel. S'il fait les mêmes gestes que toi, tu es sur la bonne voie.

— Mais attention s'il croise les bras quand tu parles, c'est qu'il s'ennuie.

— S'il est trop entreprenant, laisse tomber, c'est qu'il veut juste passer la nuit avec toi.

Annie secoua la tête. Elles croyaient bien faire, mais elle n'était pas aussi naïve que ses deux amies l'imaginaient. Juste au moment où elle allait protester, l'ascenseur arriva.

— N'oublie pas, tu appelles en cas de pépin, la pressa encore Melissa. Tu as ton portable au moins ?

— Oui, soupira-t-elle.

— En tout cas, tu es belle comme le jour, Annie.

— Oui, magnifique, renchérit Victoria.

— Merci, les filles, répondit Annie.

— Tu es la plus belle !

— Ramène-nous ton Damien !

Annie pénétra dans la cabine, et pressa le bouton du vingt-septième étage. Les portes coulissèrent en chuintant, les sourires encourageants de Mel et de Victoria disparurent, et l'ascenseur l'emporta.

Malgré l'angoisse qui lui nouait l'estomac, elle procéda aux ultimes vérifications dans le miroir de la cabine. Non, le soutien-gorge ne se voyait pas, le string non plus. Et le rouge à lèvres tenait. Les cheveux, c'était bon.

On y était. Vingt-septième étage. Le cœur battant, Annie sortit de la cabine pour se retrouver dans une immense salle toute de bois cérusé, de glace et de métal. C'était donc cela, La Piastra ! Un instant, elle pensa avec nostalgie au charmant café Beryl de Mirrabrook, avec ses nappes à carreaux et ses petits rideaux froncés.

Quelle idiote elle faisait ! Elle était venue à Brisbane précisément pour fuir tout ça. Et quelque part dans ce restaurant, Damien l'attendait. « Oh, pourvu que je lui plaise ! » Ses jambes vacillaient, et elle se sentait aussi nerveuse que le jour de son arrivée au pensionnat.

Un homme de haute taille, vêtu de noir, s'approcha d'elle et inclina légèrement la tête.

— Bonsoir, madame, et bienvenue à La Piastra.

— Bonsoir.

Annie sourit, en même temps qu'elle parcourait la salle du regard.

— Vous avez réservé ? demanda le maître d'hôtel.

— Non.

Il fronça les sourcils en pinçant les lèvres.

— Je veux dire, expliqua Annie, que je n'ai pas fait, moi, de réservation, mais j'ai rendez-vous avec quelqu'un qui en a certainement fait une.

Est-ce que ça sonnait juste, où bien avait-elle l'air d'une pauvre idiote tout juste sortie de son bush natal ?

— A quel nom, je vous prie ?

L'homme venait d'ouvrir un énorme registre sur son pupitre en acier.

— Son nom, vous voulez dire ? Celui qu'il a donné en faisant la réservation ? Grainger. M. Damien Grainger.

Il chercha longuement dans son gros registre, si longuement qu'Annie eut un instant de panique. Se serait-elle trompée ? De restaurant ? De jour ? D'heure ? Non, impossible. Elle avait lu et relu mille fois l'e-mail de Damien.

Elle jeta un regard inquiet dans la salle. Elle avait espéré que Damien la guetterait, bondirait sur ses pieds en la voyant, et traverserait la salle à la hâte pour l'accueillir avec un sourire enchanté.

— Ah oui, dit le maître d'hôtel d'une voix soudain beaucoup plus aimable, c'est la trente-deux. Mais M. Grainger n'est pas encore arrivé.

Qu'elle était stupide d'avoir imaginé que Damien serait à l'heure… Voire en avance.

— Préférez-vous l'attendre au bar ou à votre table ?

Le bar ? Elle y jeta un rapide regard. Si elle attendait Damien perchée sur un de ces hauts tabourets, elle aurait l'impression d'être une cible sur un stand de tir.

— A table, s'il vous plaît.

— Si vous voulez bien me suivre.

Plusieurs têtes se tournèrent sur son passage, tandis que le maître d'hôtel l'escortait jusqu'à une table près de la baie vitrée. A Mirrabrook, on lui aurait souri, ceux qui la connaissaient bien l'auraient hélée. Ici, juste des regards inquisiteurs. Pourquoi ? Quelque chose clochait dans sa tenue ? Son jean était trop rose ?

Le maître d'hôtel l'invita à s'asseoir en reculant sa chaise. Sur la table, Annie vit deux sets ronds en lin noir, des serviettes blanches, de l'argenterie rutilante, et des verres étincelants. Au centre brûlait une unique bougie carrée noire.

La décoration était plutôt minimaliste. Et très citadine.

— Désirez-vous un apéritif ?

Elle essaya de retrouver le nom de la boisson à la mode que lui avait commandée Melissa, la veille dans un bar. Quelque chose avec du sirop de grenadine… Comme elle hésitait, le maître d'hôtel proposa :

— Peut-être souhaitez-vous consulter notre carte des vins ?

— Non, euh… merci. Serait-il possible d'avoir un verre d'eau ?

— Bien sûr. Plate ou gazeuse ?

Mon Dieu ! Au café Beryl, quand on demandait un verre d'eau, c'était forcément celle du robinet !

— Plate, s'il vous plaît.

Il s'éloigna enfin et Annie poussa un soupir de soulagement. Un soulagement de courte durée, parce que maintenant, elle se sentait très seule à sa table : tous les autres clients étaient en couple.

« Redresse les épaules, Annie ! Tu ne vas pas te laisser abattre pour si peu ! »

Un jeune serveur ne tarda pas à lui apporter une bouteille d'eau glacée sur un plateau. Cérémonieusement, il lui remplit son verre.

Après l'avoir remercié, Annie en but une gorgée. Après tout, ce n'était pas une catastrophe que Damien soit en retard. Il devait être pris dans un embouteillage. D'une minute à l'autre, il allait surgir de l'ascenseur.

Elle se mit à observer un couple, à l'autre extrémité de la salle. Ils se tenaient les mains et se regardaient dans les yeux avec un air très amoureux...

Annie soupira. Combien d'heures avait-elle passées à rêver de cette rencontre avec Damien ? Elle s'était mille fois répété ce qu'il ne faudrait pas dire, pas faire. Elle avait même imaginé qu'il lui avouait être déjà marié. Mais pas une seule fois elle ne s'était imaginée sans lui à la table du restaurant.

Par la fenêtre, elle regarda les façades éclairées des gratte-ciel, les enseignes de néon qui clignotaient dans le lointain, tout en bas, les artères illuminées par les phares des voitures, comme un fleuve rouge et un fleuve blanc coulant en sens inverse. Ici, dans cette grande ville surpeuplée, elle se sentait plus seule que dans le bush !

Où était Damien ?

Aurait-elle dû lui donner son numéro de portable ? Mais elle avait voulu jouer la prudence jusqu'à leur rencontre. A présent, elle était tentée d'appeler Melissa et Victoria pour qu'elles la rassurent. Non, ça n'était pas le moment.

Après un temps d'hésitation, elle regarda furtivement sa montre. Vingt minutes ! Il avait vingt minutes de retard !

Le serveur reparut pour lui demander s'il pouvait lui servir quelque chose en attendant. Des crostinis, peut-être ? Ou une bruschetta ? Elle secoua la tête en signe de dénégation, et s'aperçut que plusieurs clients lui lançaient des regards curieux.

« Oh Damien, je sais que tu n'y es pour rien, mais je suis si déçue ! »

Raisonnablement, combien de temps devait-elle encore attendre ?

Elle n'avait pas encore trouvé de réponse à cette angoissante question quand elle vit le maître d'hôtel quitter son poste face à l'ascenseur pour se diriger vers elle.

— Vous êtes bien mademoiselle McKinnon ? demanda-t-il quand il fut devant elle.

Annie sentit son estomac se nouer. Comment savait-il son nom ?

— Oui ?

— Nous venons de recevoir un message pour vous.

— Ah bon ? réussit-elle à articuler, tandis que son cœur battait à tout rompre dans sa poitrine.

— Votre rendez-vous est annulé.

Annie eut l'impression qu'on l'avait poussée par la fenêtre, et qu'elle tombait en chute libre du vingt-septième étage. Damien ne pouvait pas lui faire ça !

— Non, s'exclama-t-elle, d'une voix ridiculement haut perchée, ce n'est pas possible, il doit y avoir une erreur.

Le maître d'hôtel eut l'air un peu embarrassé.

— Est-ce… est-ce que M. Grainger a dit pourquoi il ne venait pas ? demanda-t-elle d'une voix plus calme.

— La personne qui a téléphoné n'a pas donné d'explication, je le crains. Il m'a demandé de vous présenter ses excuses, mademoiselle, en espérant que vous comprendriez.

Comprendre ? Elle en était bien incapable…

— Il ne vous a *rien* dit ? Vous êtes sûr que…

Il secoua la tête en soupirant.

— Que… que dois-je faire ? demanda Annie. Je vous dois quelque chose ?

— Non, rien du tout, et vous pouvez rester dîner ici, si vous voulez. La personne qui a appelé de la part de M. Grainger a assuré qu'elle règlerait volontiers votre repas, si vous souhaitiez rester.

— La personne, dites-vous ? Ce n'est pas M. Grainger qui a appelé ?

— Non, mademoiselle, c'était son oncle, d'après ce que j'ai compris.

Son oncle ? Qu'est-ce que cela voulait dire ? Où était Damien ? Pourquoi n'avait-il pas appelé ? Etait-il souffrant ? Oui, c'était ça. Damien était tombé brusquement malade, et il avait demandé à son oncle de la prévenir.

— Vous désirez voir le menu ? demanda encore le maître d'hôtel.

Annie secoua la tête. Elle avait la gorge tellement nouée qu'elle n'arrivait plus à parler. Il lui serait à plus forte raison impossible de manger. Elle prit son sac et réussit à se lever. Puis, tant bien que mal, elle se mit en marche vers la sortie, contournant les tables, sentant sur elle le regard curieux des clients.

Une fois dans l'ascenseur, après que les portes se furent refermées, elle s'effondra à demi contre la paroi, et se couvrit la bouche pour contenir ses sanglots. Comment supporter pareille déception, pareille humiliation ?

Elle fouilla son sac à la recherche de son portable.

— Melissa, sanglota-t-elle, dès qu'on décrocha.

— Annie ? Où es-tu ?

— Dans l'ascenseur du Pinnacle.

— Pourquoi ? Tu t'es enfuie ?

— Oui.

— Dieu du ciel ! Que s'est-il passé ?

— *Rien !* Où êtes-vous ?

— Un peu plus haut dans la rue, hurla Melissa pour dominer la musique tonitruante. Une boîte qui s'appelle Le Cactus. A cent mètres du Pinnacle, sur la gauche.

— J'arrive.

Dans le hall de l'hôtel Pinnacle, Theo Grainger fixait le voyant lumineux de l'ascenseur indiquant où il en était de sa descente jusqu'au rez-de-chaussée. Très vite, trop vite, les portes coulissantes s'ouvriraient, et Annie McKinnon sortirait de la cabine.

Theo sentit sa gorge se nouer. La pauvre devait être dans tous ses états, déçue et malheureuse. En larmes probablement.

Il se maudit pour avoir aussi mal géré la situation. Son imbécile de neveu, avec ses blagues absurdes, était le premier coupable, bien sûr, mais lui aussi avait sa part de responsabilité.

En vérité, il ne savait plus très bien comment il avait fait un tel gâchis. S'il était venu ce soir à l'hôtel, c'était avec les meilleures intentions du monde. Il comptait rencontrer la jeune internaute, lui présenter les excuses de son neveu, et lui expliquer que le rendez-vous ne tenait plus. Mais cela, c'était avant qu'il aperçoive Annie McKinnon.

Quand il le fallait, Theo savait avoir du charme et se montrer convainquant, et il n'avait pas douté un seul instant qu'il saurait expliquer la situation à la cyber-conquête de Damien. Qu'elle comprendrait et repartirait, le cœur et la dignité intacts. Ça n'était pas la première fois qu'il réparait les dégâts causés par son incorrigible neveu.

Or il s'attendait à tout sauf à une fille comme Annie. Elle lui avait paru si jeune, si innocente, quand elle avait pénétré dans le hall de l'hôtel... Si pleine d'espoir, aussi.

Enfin, les deux amies qui l'accompagnaient n'était pas prévues au scénario, et cela avait achevé de le désarçonner. Parler avec Annie McKinnon était une chose. Lui annoncer devant témoins que son rendez-vous tant attendu tombait à l'eau en était une autre.

A l'avenir, il obligerait Damien à assumer les conséquences de ses actes, quitte à le tirer par les cheveux pour qu'il vienne présenter ses excuses à ses victimes...

En attendant, c'était lui, Theo, qui se trouvait là à attendre Annie McKinnon, pour s'assurer qu'elle n'avait pas le cœur définitivement brisé.

Le voyant indiquait maintenant que l'ascenseur était au rez-de-chaussée. Theo se tenait sur le côté, les mains dans les poches de son pantalon. La porte de la cabine s'ouvrit. Il retint son souffle, tout en guettant le visage sans doute ravagé de larmes d'Annie.

Pas du tout.

La jeune femme sortit de l'ascenseur, ses cheveux blonds parfaitement coiffés, le visage un peu pâle peut-être, mais la tête haute. Pas de larmes. Ses ravissants yeux bleus étaient tout à fait secs, et sa bouche souriait presque.

Presque. Car Theo, qui l'observait avec attention, nota tout de même l'imperceptible tremblement du menton, la démarche qui manquait un peu d'assurance, comme s'il lui fallait toute sa force pour tenir debout.

Ce courage inattendu l'émut, sans qu'il sache vraiment pourquoi.

Il demeura immobile tandis qu'Annie traversait le hall. Il ne bougea pas davantage quand les portes vitrées de l'entrée de l'hôtel s'ouvrirent pour la laisser passer. Avant qu'il n'ait réagi, elle avait disparu dans la nuit. Le temps qu'il se précipite dehors, elle s'éloignait déjà, silhouette fine et gracieuse se détachant dans l'obscurité.

— Annie ! cria Theo.

Mais elle n'entendit pas. Des passants le dévisagèrent avec curiosité et il se sentit ridicule. De toutes les manières, si elle s'était retournée, qu'aurait-il fait ? Il lui aurait offert un café ? Sa sympathie ? A l'évidence, elle n'avait besoin ni de l'un, ni de l'autre.

Il s'arrêta au milieu du trottoir et vit Annie tourner sur sa gauche avant de disparaître dans un café.

Jamais il ne s'était senti aussi idiot.

— Ce type est un dingue !

— Un détraqué, tu veux dire !

Melissa et Victoria, qu'Annie avait retrouvées avec soulagement après sa terrible déconvenue, se montraient aussi véhémentes l'une que l'autre. Tout en sirotant son daiquiri-fraise, leur indignation lui procurait un certain réconfort.

— Franchement, Annie, ton Damien est nul !

— Il faut être fou pour faire un truc pareil à une fille qui a traversé la moitié du pays pour vous rencontrer.

Mais pour Annie, le plus horrible était de sentir qu'elle avait encore envie d'aimer Damien. Comment se débarrasser d'un si beau rêve en si peu de temps ? Elle avait besoin de croire que Damien n'avait pas *pu* venir, qu'une raison indépendante de sa volonté l'en avait empêché, et qu'il souffrait autant qu'elle de ce rendez-vous manqué.

— Il est peut-être malade, suggéra-t-elle avec tristesse.

— Dis tout de suite qu'il est passé sous un bus, rétorqua Victoria.

— Ou qu'il a dû fuir le pays, renchérit Melissa en roulant des yeux au ciel. Allons, Annie, sois réaliste ! Si Damien était correct, s'il avait une vraie excuse, il se serait mis en quatre pour te la donner et pour fixer un autre rendez-vous.

— C'est sans doute vrai, soupira Annie. Mais je n'ai pas envie de croire qu'il s'est moqué de moi.

Elle aurait voulu pleurer pendant un mois d'affilée.

Melissa reprit :

— Non seulement ce type est cinglé, mais en plus c'est un trouillard ! Pourquoi s'est-il fait passer pour quelqu'un d'autre ?

— Comment cela ? s'étonna Annie.

— Je te parie que le prétendu oncle qui a laissé le message n'existe pas, répondit son amie.

C'était le bouquet ! Elle s'était vraiment comportée

comme une idiote en faisant confiance à Damien… Victoria lui tapota gentiment le bras.

— Si tu oubliais cet imbécile ? Occupe-toi plutôt de faire grimper les statistiques de l'alcoolisme à Brisbane, d'accord ?

Annie secoua la tête. Elle n'avait pas l'habitude de boire, mais ce soir, c'était différent. Noyer son chagrin dans l'alcool était tentant. Mais demain ? Et le reste de la semaine à Brisbane ? Comment ferait-elle pour oublier ?

— Je préférerais rentrer à l'appartement et emprunter un de vos ordinateurs pour envoyer un message cinglant à ce goujat, déclara-t-elle.

— Bonne idée ! approuva Melissa. Et puis, on travaille demain. Il vaudrait mieux que nous ne nous couchions pas trop tard. Rentrons, et écrivons à ce type un mail qu'il n'oubliera jamais !

— Ce que nous écrirons va sûrement glisser sur lui comme l'eau sur les plumes d'un canard, fit observer Victoria.

Mais Melissa semblait déterminée.

— Tant pis. Au moins, si on lui dit ses quatre vérités, Annie sera soulagée.

2.

Cette nuit n'en finirait donc jamais ! Se tournant et se retournant sur le canapé-lit du salon, Annie ne trouvait pas le sommeil.

Après l'avoir aidée à rédiger le mail à Damien, ses deux amies étaient parties se coucher. Elles dormaient sans doute à présent, et Annie devait affronter seule les affres de la nuit.

Etre seule avait un avantage, cependant : elle pouvait s'apitoyer sur elle-même autant qu'elle le voulait…

Rien ne pouvait lui arriver de pire que le fiasco de ce soir. Elle en sortait humiliée et folle de rage. Voilà une belle histoire d'amour qui s'achevait avant même d'avoir commencé ! Comment Damien avait-il pu agir ainsi ? Surtout après tant de semaines passées à lui faire la cour par ordinateur interposé.

Qu'est-ce qui avait déraillé ? Annie était-elle allée trop vite en suggérant une rencontre ? Aurait-elle dû attendre que l'initiative vienne de lui ? Pourtant, il avait accepté tout de suite lorsqu'elle avait parlé d'un rendez-vous. Sa défection était si incompréhensible qu'elle ne pouvait abandonner l'espoir, si ténu fût-il, que Damien ait eu un réel empêchement. Mais dans ce cas, il n'apprécierait pas le mail féroce que les filles l'avaient incitée à envoyer.

« Oh, et puis, qu'il aille au diable ! » pensa-t-elle.

En donnant un coup de poing rageur dans son oreiller, Annie se mit sur le dos, les yeux grands ouverts. Elle n'arriverait jamais à dormir ! En plus de sa nervosité, il y avait un bruit infernal de circulation. Rien de plus normal dans un appartement situé en plein centre-ville, mais elle était tellement habituée au silence du bush !

Penser à Southern Cross et à ses deux frères, Reid et Kane, éveilla chez Annie une certaine culpabilité. Elle était partie à Brisbane pendant qu'ils étaient absents, occupés à rassembler des troupeaux aux confins de la propriété. Elle leur avait juste laissé un mot pour les avertir. Avait-elle eu raison de faire tant de mystères ? Elle s'en voulait presque aujourd'hui de ne pas avoir eu le courage de leur parler de ce garçon rencontré sur Internet. Mais ses frères étaient si protecteurs !

Ah, si seulement sa mère n'avait pas été si loin, en Ecosse... En pensant à elle, Annie se sentit plus seule encore. Elle en arrivait presque à souhaiter que ses frères l'aient empêchée de venir à Brisbane ! Un comble !

— Tu as une réponse !

Au petit déjeuner, Melissa pénétra dans la cuisine avec une feuille de papier qu'elle tendit à Annie.

— Tiens, je te l'ai imprimée.

Annie soupira. Il lui était désormais impossible d'éluder la vérité : elle allait savoir pourquoi Damien n'était pas venu au rendez-vous.

— C'est son oncle qui a répondu, dit encore Melissa.

— *Son oncle ?*

— Oui.

Le cœur d'Annie se serra. Encore une déception… Damien ne daignait même pas lui répondre lui-même.

Victoria, qui faisait chauffer du café au micro-onde, se retourna.

— Il existe donc, cet oncle ? demanda-t-elle.

— On dirait, admit Melissa en arrosant de lait son bol de céréales.

Annie poussa un gémissement de découragement.

— Ça veut dire que son oncle a lu le message qu'on a envoyé hier soir ?

— C'est ce qu'on dirait, répondit Melissa en jetant un regard gêné à Victoria.

— Mais on était… enfin…, balbutia-t-elle.

— Oui, on avait un peu bu, compléta son amie, l'air penaud.

— Pas de panique, intervint Victoria. D'abord, on n'était pas vraiment soûles, et ensuite on n'a dit que la vérité.

— Peut-être, mais… pour un vieil oncle…

Annie hésitait à lire le message, redoutant le pire. Pourtant, il le fallait.

De : T.G Grainger

A : Anniem@mymail.com

Mardi 14 novembre, 6 h 05

Objet : Re : J'espère que tu as une excuse valable !

Chère Annie,

Ne m'en veuillez pas de répondre à votre message, mais mon neveu a dû s'absenter de Brisbane cette semaine, et m'a demandé de vérifier sa messagerie et de répondre aux messages importants. Or je considère le vôtre de la plus haute importance. Pardon de m'immiscer dans une correspondance aussi personnelle, mais vous méritez, fût-ce par courtoisie, une réponse rapide.

Acceptez, je vous prie, mes excuses les plus sincères pour la désagréable expérience d'hier soir, conséquence de la légèreté impardonnable de mon neveu.

Damien a dû quitter Brisbane assez brusquement, et j'ai contacté le restaurant La Piastra pour lui. Néanmoins je comprends votre déception, et condamne le comportement de mon neveu. Vous avez raison, il vous doit une explication, et je ferai en sorte qu'il vous contacte dès son retour.

En attendant, je suis sûr que vous profiterez quand même de votre séjour à Brisbane.

Bien à vous,

Pr Theo Granger.

— C'est bien ce que je pensais, déclara Annie en posant la feuille sur la table. Damien a dû s'absenter.

— Tu es bien indulgente ! s'écria Melissa.

— Parce que tu ne le crois pas ?

Le silence qui accueillit la question d'Annie était éloquent…

Après avoir bu un peu de café, Victoria prit le message pour le lire de nouveau.

— Ce M. Grainger sait choisir ses mots, non ?

Annie hocha la tête avec tristesse.

— Je suppose que parler de « légèreté impardonnable » est une manière élégante de dire que son neveu est un malotru…

— Alors comme ça, Damien a un oncle professeur, ajouta Victoria.

— Et quel prof ! renchérit Melissa.

Annie la dévisagea sans comprendre.

— Tu le connais ? demanda-t-elle.

— Bien sûr, c'était mon prof de philo à l'université. Grainger n'est pas un nom répandu, Theo non plus. Je suis sûre que c'est le même homme.

Annie regardait son amie avec stupéfaction.

— Tu as étudié la philosophie ?

— Oui, pendant ma première année de fac. Puis j'ai abandonné pour me spécialiser dans la sociologie urbaine. Mais le Pr Grainger était un très bon prof. Tous ses élèves l'adoraient, et…

— Hé, vous avez vu l'heure ? la coupa Victoria. Il faut qu'on se prépare, Melissa, sinon on va être en retard au travail.

Les deux filles bondirent sur leurs pieds et disparurent en un clin d'œil vers la salle de bains.

Annie soupira en contemplant la cuisine en désordre. Si elle restait quelques jours de plus, Melissa et Victoria ne tarderaient pas à la traiter comme le faisaient ses frères, songea-t-elle. Quand ceux-ci partaient de la maison pour s'occuper de leur immense exploitation, elle devait s'occuper de la cuisine et du ménage.

Devant cette perspective peu valorisante, Annie se demanda quelles étaient ses autres options. Répondre au mail du Pr Grainger et lui demander quand son neveu serait de retour ? Mais elle ne faisait plus confiance à la communication par Internet. Il était trop facile de mentir quand la personne n'était pas en face de vous.

Elle relut le message. Pour être philosophe, il fallait être brillant, réfléchi et avisé, non ? Dommage que ces qualités n'aient pas déteint sur Damien…

En y réfléchissant mieux, il était surprenant que cet homme ne l'ait pas critiquée, elle, pour son manque de sagesse. N'aurait-il pas dû tenir en piètre estime une fille du bush qui se précipitait tête baissée à Brisbane en croyant avoir déniché l'homme de sa vie sur Internet ? Mais au contraire, il n'exprimait dans son message aucune opinion négative sur elle. Il se montrait même étonnamment compréhensif. Mieux, compatissant.

Si elle l'approchait directement, M. Grainger lui dirait-il ce qui s'était vraiment passé ? se demanda soudain Annie. Plutôt que de tourner autour du pot par mails interposés, pourquoi ne pas aller le voir ?

Annie se leva brusquement et courut vers la salle de bains, où Melissa se maquillait avec la plus grande concentration.

— A quelle université enseigne le Pr Grainger ? demanda-t-elle.

Son amie fronça les sourcils.

— A l'université d'Etat, pourquoi ?

— La philosophie m'a toujours intéressée, tu sais. Puisque je n'ai rien de précis à faire, pourquoi ne pas assister à un de ses cours ? Je pourrai me glisser au fond de la salle. C'est autorisé, j'imagine ?

— Oui, euh…

Melissa appliqua une dernière couche de mascara avant de se tourner vers Annie.

— Tu ne crois pas que tu devrais laisser tomber cette histoire ? Des types bien, il y en a partout à Brisbane. Je peux t'en présenter des tonnes si tu veux.

— Je veux juste comprendre, répliqua Annie.

Son amie haussa les épaules. Au même moment, Victoria cria depuis l'entrée :

— Tu es prête, Mel ?

— J'arrive !

Melissa mit une dernière touche de rouge à lèvres.

— Fais comme tu veux, Annie, mais j'ai peur que tu ailles à la fac pour rien. L'année universitaire est presque terminée et il ne doit plus y avoir grand monde là-bas.

Elle s'interrompit un instant avant d'ajouter.

— A ta place, je ferais du shopping. C'est toujours bon pour le moral.

Quand on frappa à la porte de son bureau, Theo Grainger était en pleine correction de copies. Sans même lever les yeux, il marmonna un vague bonjour.

— Professeur Grainger ?

Il avait cru que c'était Lillian, la secrétaire du département, qui venait lui apporter le courrier. Mais ce n'était pas sa voix. Il devait s'agir d'une étudiante paniquée par l'approche des examens.

Toujours sans lever la tête, il demanda :

— Vous avez rendez-vous ?

— Non.

— Je ne reçois pas les étudiants sans rendez-vous. Allez vous inscrire sur le panneau du secrétariat.

— Entendu, je vais le faire.

Theo se concentra de nouveau sur la copie : une analyse plutôt mal construite de l'utilitarisme.

— Pardon de vous déranger encore, mais où se trouve le secrétariat ?

Cette fois Theo leva les yeux de son travail.

— Voilà neuf mois que l'année universitaire a commencé, vous ne le savez toujours pas ?

— C'est que je ne suis pas étudiante.

Annie McKinnon !

En la reconnaissant, Theo reçut un choc presque aussi violent qu'une décharge électrique. Il faillit même prononcer son nom à haute voix mais se reprit *in extremis*. Il ne fallait surtout pas qu'elle sache qu'il l'avait vue hier — espionnée, même — dans le hall de l'hôtel Pinnacle.

Il se redressa dans son siège.

— Excusez-moi, quel est votre nom ?

— Je ne me suis pas présentée parce que je suis un peu gênée. Je suis… Annie McKinnon. Vous… vous avez répondu à un mail que j'ai envoyé hier soir à votre neveu.

— Mais oui, bien sûr !

Theo ne put s'empêcher de détailler la jeune femme, qui joignit les mains avec nervosité, apparemment mal à l'aise.

— Ainsi, c'est vous qui avez écrit ce mail à Damien ?

— Je suis désolée, professeur Grainger, protesta Annie en rougissant, si j'avais su que vous le liriez, j'aurais été plus… délicate.

— Je l'imagine volontiers.

Theo lui adressa un sourire circonspect.

— Pourquoi vouliez-vous me voir ?

— Je voulais m'excuser.

— Mais de quoi ?

— A vrai dire… Je voudrais aussi savoir la vérité.

— Quelle vérité ?

— Sur Damien. Il faut que j'en aie le cœur net. A-t-il eu un réel empêchement ?

Theo s'éclaircit la gorge. Cette jeune femme avait des yeux magnifiques, bleus comme un ciel d'été. Mais malgré la candeur de son regard, il savait qu'elle ne partirait pas sans être fixée sur la situation. Et pour la millième fois depuis hier, il maudit intérieurement son neveu.

— Nous pourrions en discuter ailleurs, dit-il avec un rapide regard à sa montre.

Mieux valait ne pas s'exposer aux regards curieux de ses collègues.

— Allons boire un café, d'accord ? proposa-t-il.

— Volontiers.

Il enfila sa veste. En traversant le couloir du département, ils croisèrent Lillian, qui distribuait le courrier. A la grande surprise de Theo, Annie fit un petit geste de la main à la secrétaire, avant de lancer joyeusement :

— Je l'ai trouvé !

Lillian sourit en retour à la jeune femme, et jeta un regard amusé et intrigué à Theo. Celui-ci hâta le pas, pressé de sortir.

En traversant la grande esplanade de l'université aux côtés du Pr Grainger, Annie se sentait très impressionnée. Avec ses immenses pelouses entourées de portiques et de colonnes, l'endroit possédait une grandeur et une élégance à laquelle elle ne s'attendait pas. Les bâtiments bordant l'esplanade étaient également superbes, avec leurs façades de grès. Annie était éblouie : comment ne pas se passionner pour les études dans une telle atmosphère ?

Comme ils croisaient quelques étudiants qui déambulaient en discutant, elle leur jeta un regard plein d'envie.

— Ont-ils conscience de leur chance d'étudier ici ? demanda-t-elle.

— Pas tous, j'en ai peur, répondit-il en souriant. Si je comprends bien, vous n'êtes pas allée à l'université ?

— J'avais l'intention de le faire en sortant de l'internat où j'ai suivi ma scolarité, mais mon père est décédé, et tout s'est compliqué à la maison. Je vis dans une propriété au nord du Queensland.

— Mais si vous aviez pu, les choses auraient été différentes, c'est cela ?

— Au départ, cette vie me convenait. Mais depuis quelque temps, j'ai envie de voir autre chose.

— Il n'est jamais trop tard pour étudier à l'université.

— C'est ce que je me dis. A vingt-quatre ans, on est encore jeune, non ?

— Très jeune ! répondit-il d'un ton qui déconcerta Annie.

Ils venaient d'arriver devant un café situé dans un joli jardin ombragé. Theo alla au bar chercher deux tasses et les posa sur une table, un peu à l'écart. Les autres clients étaient tous des étudiants.

Après s'être installée, Annie lui jeta un regard à la dérobée. L'oncle de Damien n'était pas du tout comme elle s'y attendait. Il devait avoir à peu près l'âge de ses frères : trente-cinq ans. Ses fines lunettes cerclées d'écaille lui donnaient un air d'intellectuel, certes, mais pas celui d'un savant perdu dans les nuages. Grand et mince, il avait un physique remarquable. Avec sa chemise bleue et son pantalon beige parfaitement coupé, il était vraiment très séduisant… et très différent des hommes du bush !

Et d'ailleurs, pourquoi s'étonner que Theo Grainger soit séduisant ? N'était-il pas l'oncle de Damien ?

— C'est gentil de m'accorder un peu de votre temps, déclara-t-elle en posant sa tasse. Vous devez me trouver idiote d'avoir organisé une rencontre sur Internet.

— Pas davantage que les milliers de gens qui font de

même, rétorqua Theo avec un sourire rassurant. Internet est devenu un moyen très courant de faire de nouvelles rencontres. En revanche, je suis désolé que vous soyez venue de si loin et que vous ayez l'impression que Damien vous a laissée tomber.

— C'est pourtant ce qui s'est passé, non ? Je vous en prie, dites-moi la vérité. Damien ne veut pas me voir, c'est ça ?

Theo poussa un soupir.

— Je n'en suis pas sûr.

— Mais vous devez avoir votre petite idée sur la question, non ?

— Vous êtes très directe, mademoiselle. Je défie quiconque de vous mentir.

— Je préfère ça, répliqua-t-elle vivement.

Leurs regards se croisèrent et, l'espace d'un instant, elle se sentit troublée et faillit perdre le fil de ses pensées. Elle prit une rapide inspiration.

— Peut-être pourriez-vous m'appeler Annie ? Et me dire la vérité… Damien s'est moqué de moi, n'est-ce pas ?

— Si vous vous êtes déjà fait votre opinion, je ne peux rien dire de plus.

Il marqua une pause imperceptible avant de murmurer :

— Annie.

Elle tressaillit. Sa voix était si mélodieuse…

— S'il vous plaît, dit-elle doucement. Je veux juste entendre la vérité pour pouvoir ensuite oublier cette lamentable histoire.

Theo croisa les bras.

— Honnêtement, Damien ne m'a pas précisé pourquoi il devait quitter Brisbane. Mais c'est vrai, je pense qu'il a voulu éviter cette rencontre avec vous. Croyez-moi, j'en suis navré. Mon neveu adore faire des blagues et il ne réalise pas qu'il peut blesser les autres.

— Je vois.

— J'espère que vous n'êtes pas trop déçue.

Curieusement, en entendant Theo lui confirmer ce dont elle se doutait depuis la veille, elle ne ressentait pas de tristesse. Au fond, ça n'était pas grave.

— Pour dire la vérité, déclara-t-elle après avoir achevé son café, une seule chose me déçoit vraiment.

— Quoi donc ? demanda-t-il avec curiosité.

— Je ne connaîtrai jamais Basilic.

— Basilic ?

— Oui, le chien de Damien, un dalmatien, je crois.

— C'est ce qu'il vous a dit ? Qu'il avait un dalmatien qui s'appelait Basilic ?

— Oui, c'est même en partie pour cela que nous avons eu le déclic. J'adore les chiens. J'ai moi-même une chienne qui s'appelle Lavande. C'est un colley d'Ecosse. Avec Damien nous parlions souvent d'eux.

Theo eut un bref sourire puis fronça les sourcils. Annie s'affaissa sur son siège.

— Ne me dites pas que le dalmatien non plus n'existe pas !

— Oh, n'ayez crainte, il existe, affirma-t-il. Mais c'est *mon* chien.

3.

— Combien de temps faut-il pour aller à pied jusqu'au pont de Goodwill ?

Melissa, qui se brossait les dents, jeta un regard à Annie par-dessus son épaule.

— Une petite demi-heure. Pourquoi ?

— Pour savoir à quelle heure je dois me réveiller demain matin.

Melissa posa sa brosse à dents et fronça les sourcils.

— Tu comptes aller au pont de Goodwill demain à l'aube ?

— Oui.

— Mais pourquoi ?

Annie haussa les épaules.

— Un peu d'exercice me fera du bien. Bonne nuit, ajouta-t-elle s'apprêtant à sortir de la salle de bains.

— Attends une seconde, tu veux ! lança son amie.

Elle se rinça rapidement la bouche.

— Tu n'es pas venue à Brisbane pour faire de la marche à pied au petit jour. Qui dois-tu retrouver au pont de Goodwill ?

Annie leva les yeux au ciel.

— Un chien, si tu veux savoir. Un dalmatien qui s'appelle Basilic.

Melissa semblait abasourdie.

— Un chien ? Mais qu'est-ce que tu racontes ?

— Il appartient à Theo Grainger, expliqua Annie, un peu mal à l'aise.

— Au Pr Grainger ?

La voix de Melissa avait grimpé d'une octave.

— Je t'ai dit que j'étais allée le voir, ce matin, dit Annie, sur la défensive. Il m'a proposé de faire la connaissance de son chien.

Son amie éclata de rire.

— Qu'y a-t-il de si drôle ? Tu connais ma passion pour les chiens, non ?

— Oui, bien sûr, tu es littéralement fascinée par le chien de Theo Grainger ! Heureusement que ce n'est pas par lui, parce que tu aurais de la concurrence ! Au département de philosophie, toutes les filles sont folles de lui.

Annie ouvrit de grands yeux incrédules.

— Remarque, ça ne les avance à rien, ajouta Melissa. Le Pr Grainger ne sort jamais avec ses étudiantes.

— On ne peut que l'en féliciter.

— C'est bien pourquoi je suis estomaquée. Comment as-tu réussi, toi ?

— Mel ! s'exclama Annie, exaspérée. Aller promener un chien n'est pas vraiment un rendez-vous galant !

— Ah bon ? Qui essaies-tu de persuader ? Toi ou moi ?

Pour une raison qui lui échappait, Annie se sentit soudain très gênée par cette conversation.

— Ecoute, je suis épuisée, prétexta-t-elle. Je vais me coucher. A demain !

*
* *

Il faut se méfier comme de la peste des décisions impulsives. C'est ce que pensait Theo sur le pont de Goodwill. Avoir invité Annie à promener Basilic avec lui n'était sans doute pas une bonne idée. Mais son neveu s'était montré si négligent avec la jeune femme qu'il s'était senti obligé de le faire.

Depuis presque dix ans qu'il était professeur assistant à l'université, il savait qu'avoir des relations avec une jolie fille, hors du cadre purement professionnel, n'était pas sans danger. Mais après tout, Annie n'était pas une étudiante.

Et rien dans son invitation ne pouvait prêter à confusion. Il ne lui avait même pas proposé de passer la prendre chez elle. D'ailleurs, pourvu qu'elle ne se soit pas perdue !

Sous le pont, les navettes sillonnaient le fleuve. Theo releva la tête et vit soudain la jeune femme arrêtée au passage piéton, de l'autre côté de la chaussée. Le feu passa au rouge, et l'instant d'après, elle était devant lui, un peu essoufflée.

— Bonjour ! J'espère ne pas vous avoir trop retardé.

— Pas du tout, répondit-il, curieusement ému.

La jeune femme s'accroupit auprès du chien.

— Oh, Basilic ! Comme tu es beau ! Je t'ai reconnu de loin, avec tes taches noires et blanches !

Elle caressa l'animal entre les deux oreilles. Theo ne pouvait s'empêcher de voir comme ses cheveux brillaient au soleil, comme elle était mince et séduisante dans son short noir et son débardeur bleu pâle.

— On va de quel côté ? demanda-t-elle, en se redressant d'un mouvement fluide et gracieux.

— Nous allons franchir le pont pour aller sur la rive gauche.

Le pont de Goodwill était réservé aux piétons et aux cyclistes. A cette heure matinale, il faisait encore frais, et sous le ciel limpide, la ville semblait toute neuve.

— Qu'est-il écrit sur votre T-shirt, Theo ? C'est de l'italien, non ?

Elle avait vraiment le don de poser les questions les plus inattendues…

— Oui, admit-il en baissant les yeux sur sa poitrine. C'est une pub pour une marque de café.

— Vous parlez italien ? Vous savez ce qu'elle dit ?

— Quelque chose comme « Pour ceux qui aiment le goût du vrai ».

Annie parut impressionnée.

— Vous êtes allé en Italie ?

— Oui, plusieurs fois.

— Quelle chance ! Moi, je donnerais tout pour connaître Rome, Venise, Florence. J'ai lu plein de guides dont les photos me font rêver.

— C'est un très beau pays. Mon préféré en Europe.

— C'est vrai ?

Elle avait l'air perplexe.

— Cela vous pose un problème ? s'étonna Theo.

— Non, mais Damien disait aussi que l'Italie était son pays préféré.

— Comment ça ? Il n'y est jamais allé.

La jeune femme s'immobilisa brusquement.

— C'est bizarre…, dit-elle. Vous croyez que Damien aurait fait semblant d'être quelqu'un d'autre ? Vous, par exemple ?

— Pourquoi pensez-vous ça ? A cause de Basilic et de l'Italie ?

— Pas seulement. Il me parlait de philosophie, aussi.

Theo éclata de rire.

— Damien ne connaît rien à la philosophie !

— Je ne suis pas très calée non plus, vous savez. J'ai longtemps cru que la philosophie se résumait au fameux « Demain est un autre jour » de Scarlett O'Hara dans *Autant en emporte le vent.*

— Ce n'est pas si faux, dit-il en souriant.

Elle secoua la tête avec tristesse.

— Damien m'a vraiment prise pour une idiote. Tout ce qu'il me racontait sur lui et que j'aimais tant... Ce n'était que des histoires.

« Pas *des* histoires, mais *mon* histoire », songea Theo en scrutant le visage d'Annie, dont les grands yeux étaient emplis de mélancolie. Quand son neveu reviendrait, il lui tordrait le cou !

Annie finit par hausser les épaules.

— Il ne faut plus que je parle de Damien. C'est du passé. Marchons, voulez-vous ? Je ne voudrais pas vous retarder.

En avançant sur le pont, Annie regardait tout autour d'elle avec la même curiosité et le même enchantement qui avaient frappé Theo la veille, quand ils avaient traversé ensemble le campus de l'université. Tout semblait la surprendre et la ravir. Comme c'était rafraîchissant à côté de ces intellectuelles blasées qu'il côtoyait d'habitude !

Quand ils furent de l'autre côté du pont, Annie s'immobilisa de nouveau. Levant les bras au ciel, elle fit un tour complet sur elle-même en s'exclamant :

— J'adore cette ville !

Et Theo, qui s'était pourtant juré d'en rester là, suggéra :

— Si nous prenions un petit déjeuner ?

Un petit déjeuner ? Annie faillit laisser échapper un cri de surprise. D'ailleurs, Theo semblait étonné, lui aussi. Réalisait-il qu'une promenade *et* un petit déjeuner commençaient à ressembler sérieusement à rendez-vous ? Devait-elle refuser ?

A vrai dire, elle n'en avait aucune envie. Près de cet homme, elle ressentait quelque chose d'à la fois étrange et profond. Mais quoi ? Elle lui jeta un regard à la dérobée : son T-shirt et son short de jogging faisaient ressortir sa carrure athlétique.

— Nous sommes en tenues de sport, fit-elle remarquer. On ne nous laissera pas entrer, non ?

— Mais si. Il n'y a aucun problème.

— Et Basilic ? Les chiens ne sont sans doute pas admis.

— Ne vous inquiétez pas, la rassura-t-elle. J'ai un ami, Giovanni, qui tient un café un peu plus loin. Dans les occasions exceptionnelles, il le garde avec lui, loin de la cuisine et des clients.

— Et aujourd'hui, c'est une occasion exceptionnelle ?

Un sourire se dessina lentement sur les lèvres de Theo.

— Puisque je le dis.

Annie s'accroupit pour gratter la tête de Basilic qui agita la queue.

— Ne vous inquiétez pas pour lui, déclara Theo. Avec Giovanni, il est le plus heureux des chiens.

Annie lui sourit. Tout en passant sous une merveilleuse pergola habillée de somptueuses bougainvillées pourpres, elle s'adjurait au calme : « Non, ce n'est pas un rendez-vous galant ! Pas du tout ! »

Sur la berge, les cafés étaient bondés. A la terrasse de l'un d'eux, un petit homme corpulent ouvrait un parasol rouge et blanc pour abriter une table. En voyant Theo, son visage s'épanouit, et il lança joyeusement :

— *Ciao*, Theo !

— Giovanni ! *Ciao* !

Les deux hommes échangèrent une poignée de main tout en bavardant en italien, sous le regard enchanté d'Annie. Puis Giovanni se tourna vers elle et lui sourit.

— *Buon giorno, signora* !

Signora ? C'était si joli, surtout dit par la belle voix de baryton de Giovanni !

— *Buon giorno*, Giovanni, répondit-elle.

Même si sa prononciation n'était pas parfaite, l'homme parut ravi. Ainsi que Theo.

Sans attendre, Giovanni prit la laisse de Basilic.

— *E un cane bello*, dit-il en caressant la tête du chien, avant de disparaître avec lui à l'intérieur du café.

— Maintenant que Basilic est en de bonnes mains, trouvons une table, déclara Theo.

Annie parvenait mal à dissimuler son excitation : un petit déjeuner au bord de l'eau avec vue sur les gratte-ciel de Brisbane ! D'un seul coup, elle se sentait citadine et sophistiquée.

— Qu'allez-vous manger ? demanda-t-elle à Theo, comme ils détaillaient la carte.

— Un café et un croissant. Et vous ?

— J'hésite entre un croissant et des toasts.

— Si vous aimez la confiture, prenez les toasts. Giovanni fait une confiture de figue inoubliable.

— Dans ce cas, je n'hésite plus.

— Du café ?

— Oui, s'il vous plaît.

Quand ils eurent commandé, Theo se cala dans son fauteuil, apparemment de très bonne humeur. Annie prit une inspiration.

— Je peux vous poser une question indiscrète ?

Theo plissa les yeux derrière ses lunettes, mais sans paraître agacé. Au contraire, il ne tarda pas à lui sourire.

— Allez-y.

— Je me demandais ce qu'on faisait quand on était philosophe.

— Ah... La fameuse question !

— Pourquoi ? On vous la pose souvent ?

— Tout le monde ou presque.

— Oh... C'est que... j'ai du mal à imaginer ce que vous faites. Vous devez bien... euh...

— Faire des choses utiles ? suggéra son compagnon.

— Je ne voulais pas être blessante, s'écria-t-elle. Je pose la question parce que votre vie est si différente de la mienne. Là où je vis, les gens sont amenés à faire des choses très pratiques. Si une canalisation fuit, par exemple, on ne peut pas attendre qu'un plombier parcoure des centaines de kilomètres pour venir la réparer. Il faut le faire soi-même.

— Pour vous, les philosophes ne font pas de choses matérielles.

— Je ne sais pas. A vous de me le dire.

Theo croisa les bras avant de reprendre la parole.

— Non, les philosophes ne préparent pas de croissants, ne construisent pas des gratte-ciel, et ne réparent pas les canalisations.

A cet instant, un serveur arriva avec leur petit déjeuner. Les toasts étaient dorés à souhait, et la confiture de figue semblait sublime.

Il lui tendit un sachet de sucre en poudre.

— On partage ? demanda-t-il en souriant.

Annie sentit un frisson la parcourir. Il avait un sourire incroyable…

— Volontiers, répondit-elle.

Après avoir mis un peu de confiture sur son croissant, Theo reprit.

— En fait les philosophes construisent, eux aussi. Mais des systèmes de pensées. Et leur travail ne relève pas seulement du pur esprit. Au contraire, il est souvent en prise directe avec la réalité. Vous savez que la philosophie est de plus en plus souvent utilisée comme une thérapie ?

— Comme la psychanalyse, vous voulez dire ?

— En quelque sorte. Une lecture de Platon ou d'Aristote est peut-être plus efficace qu'un médicament.

— Eh bien, cela me ferait peut-être du bien. On me dit toujours que je suis trop impulsive.

Annie baissa les yeux avant d'ajouter :

— Je vous l'ai dit, j'ai l'impression de ne rien savoir.

— C'est juste parce vous n'avez jamais étudié la philosophie, fit valoir Theo.

Annie leva les yeux et croisa son regard.

— C'est sans doute vrai. Mais j'aimerais être plus sage. Surtout pour les choses vraiment importantes.

Theo but une gorgée de café avant de répondre.

— Peut-être êtes-vous plus sage que vous ne le pensez, Annie.

Une légère brise se leva soudain et Annie leva la main pour ramener ses cheveux en arrière. Elle vit alors Theo la fixer en fronçant les sourcils. Intriguée, elle plia le coude pour voir ce qui avait attiré son attention : quelques bleus marquaient son avant-bras.

— Je me suis fait ça en dormant sur le canapé de Melissa, expliqua-t-elle. Il est si étroit que je n'arrête pas de me cogner à la table de nuit. D'où les bleus…

— Ça ne paraît pas très confortable.

— C'est le moins que l'on puisse dire. Si j'avais su, j'aurais apporté mon duvet pour dormir par terre.

L'air songeur, Theo but une gorgée de café. Annie consulta rapidement sa montre.

— Il ne faut pas que vous alliez travailler ?

— Les cours sont terminés depuis une semaine, expliqua-t-il, mais il faut quand même que j'y aille.

Il se leva pour aller payer à l'intérieur et récupérer Basilic. Puis ils repartirent en direction du pont.

— Vous avez des projets pour le reste de la semaine ? demanda-t-il.

Melissa posa le couteau avec lequel elle émincait des champignons et s'écria, les mains sur les hanches :

— Tu as perdu la tête ?

Perchée sur un tabouret de la cuisine, Victoria interrompit elle aussi son travail d'épluchage pour poser sur Annie un regard ahuri. Celle-ci se hâta de les rassurer.

— Vous avez été adorables toutes les deux. Vous m'avez beaucoup aidée et…

— Je n'arrive pas à croire que tu t'installes chez le Pr Grainger ! la coupa Melissa.

Victoria secoua la tête.

— Quelle drôle d'idée !

— Theo m'a simplement proposé la chambre de son neveu pour le reste de mon séjour ici, protesta Annie. Il se sent des obligations à mon égard.

— Des obligations ! Tu parles ! s'exclama Melissa. A mon avis, il a d'autres idées derrière la tête.

— Tu es trop naïve, renchérit Victoria.

Annie étouffa un soupir. Elle ne pouvait tout de même pas parler de l'inconfort du canapé-lit : ce serait impoli de sa part après tout ce que ses deux amies avaient fait pour elle.

— Je vous assure qu'il n'a aucune mauvaise intention.

— Je crois rêver ! s'exclama Melissa.

— Taisez-vous !

Annie avait crié sans même s'en rendre compte. Mais cela eut au moins le mérite de faire taire Melissa et Victoria. Elle prit une profonde inspiration avant d'expliquer :

— J'ai pensé que c'était une bonne idée pour plusieurs raisons. D'abord, vous récupérerez votre canapé. Ensuite Damien m'a tout de même placée dans une situation inconfortable. Autant que je profite du confort de sa chambre s'il ne l'utilise pas. Et enfin, Theo habite sur la rive gauche, tout près des galeries, des musées et des théâtres. Pendant la journée, je pourrai aller où je veux.

— Et la nuit ? demanda Victoria.

Annie soupira.

— Mais enfin ! Theo ne va pas se jeter sur moi, si c'est ce qui vous inquiète. C'est quelqu'un de bien.

— Il est surtout très séduisant, rétorqua Melissa. As-tu pensé que tu pourrais tomber amoureuse de lui, et t'en mordre les doigts, comme ça s'est passé avec Damien ?

— Tel neveu, tel oncle, déclama sentencieusement Victoria.

Annie détourna le regard. Elle devait reconnaître que Melissa avait marqué un point : Theo Grainger ne la laissait pas indifférente. Alors que pour lui, elle ne devait être qu'une jeune provinciale naïve et pas très intéressante…

Peut-être, mais c'était plus fort qu'elle : il fallait qu'elle accepte la proposition de Theo.

— Je suis prête à courir le risque, assura-t-elle.

Melissa écarquilla des yeux horrifiés.

— Oh non ! Tu es déjà amoureuse ?

— Bien sûr que non ! Je le connais à peine.

— Mais quel âge a-t-il ? intervint Victoria.

Melissa secoua la tête.

— Pas plus de trente-cinq ans, répondit-elle.

Un sourire se dessina sur le visage de Victoria tandis qu'elle regardait Annie d'un air entendu.

— Dans ce cas, dit-elle, ne laisse pas passer ta chance.

— Bon, affaire classée, déclara Melissa. Si vous êtes deux contre moi, je baisse les bras.

Et elle poussa un soupir digne d'une tragédienne.

— Quoi qu'il en soit, tu as intérêt à appeler tes frères pour leur parler de tes projets. Reid a laissé un message sur le répondeur, il est inquiet de ne pas avoir de tes nouvelles.

— Je vais lui téléphoner, répondit Annie.

— Pourquoi n'a-t-il pas appelé sur ton portable ?

— Je l'avais coupé, et je n'ai pas écouté mes messages.

Melissa haussa un sourcil étonné.

— Décidément, tu n'as plus tout ta tête…

Annie se garda de répondre. Elle avait coupé son téléphone justement parce qu'elle ne voulait pas entendre les reproches de ses frères, Reid et Kane. Ils devaient être furieux qu'elle soit partie à Brisbane sans les prévenir.

— Bon, reprit Melissa, si tu es vraiment décidée, nous t'amènerons chez Theo Grainger après le dîner.

Soulagée, Annie eut un sourire radieux.

— Vous êtes de vraies amies ! Mais je peux prendre un taxi, vous savez.

— Pas question, intervint Victoria. On veut voir où vit le grand homme. Qui sait, j'aurai peut-être la chance de l'apercevoir. Finalement, je suis la seule à ne pas le connaître.

Elle ajouta en riant :

— Ne t'inquiète pas, nous serons discrètes.

Après cette conversation houleuse, Annie se rendit dans le salon pour téléphoner à ses frères. Ne sachant où ils étaient sur la propriété, elle composa le numéro du téléphone par satellite. Ce fut Reid qui lui répondit.

— Enfin ! s'exclama-t-il. Où donc étais-tu passée ? Nous n'arrivions pas à te joindre, et nous nous faisions du souci.

— Je suis désolée, Reid. Ne m'en veux pas… Et toi, comment vas-tu ?

— Beaucoup mieux depuis que je sais que tu es vivante, répondit-il.

Il se tut quelques secondes avant d'ajouter :

— Dis-moi, tu t'amuses bien ?

— Oh oui ! Beaucoup. Mais je me sens un peu coupable d'être partie sans vous prévenir, Kane et toi.

— Ecoute, nous comptons un peu trop sur toi, tous les deux. Ça ne nous fait pas de mal de réaliser que tu as ta vie, toi aussi. Et tu as le droit de partir t'amuser à Brisbane si tu en as envie. Je sais très bien que les distractions sont rares à Southern Cross.

Cher Reid ! pensa Annie. Elle avait toujours su qu'il la comprendrait.

— Tu comptes rester longtemps chez Melissa ? demanda-t-il.

— Euh… En fait, je vais quitter Melissa pour… euh… pour m'installer chez d'autres amis qui ont un appartement plus grand… Mieux placé aussi pour les théâtres et les galeries. Je suis ravie. Mais je resterai joignable sur mon portable, bien sûr. Comment ça se passe à la maison ?

— Lavande attend que tu rentres. Il n'y a pas moyen de la distraire.

— La pauvre, soupira Annie qui eut aussitôt la vision de sa chienne, prostrée, la tête entre les pattes, sous la véranda de la cuisine. Fais-lui un câlin pour moi.

— J'aurais du mal car je ne suis pas à Southern Cross. J'ai dû m'installer à Lacey Downs pour remplacer le chef d'exploitation : sa femme a accouché prématurément.

— Oh non ! Le bébé va bien, au moins ?

— En pleine forme. C'est une petite fille. Mais je suis coincé ici pour une semaine encore.

De nouveau, la culpabilité assaillit Annie.

— Tu veux que je rentre ? proposa-t-elle.

— Non, pour l'instant, tout va bien. Kane a déniché une jeune Anglaise pour tenir la maison de Southern Cross.

— C'est une bonne chose, observa Annie, espérant que son frère ne remarquerait pas combien cette nouvelle la soulageait.

Mais celui-ci se contenta de marmonner :

— J'espère que Kane sait ce qu'il fait.

— J'en suis sûre, répondit-elle. Je t'appellerai en début de semaine prochaine, d'accord ? J'en saurai plus sur mes projets.

— Amuse-toi bien, Annie.

— Je t'embrasse, Reid.

Annie raccrocha et se prit à penser à Kane et à cette jeune Anglaise. Jusqu'à ces derniers jours, elle n'avait jamais vraiment réalisé combien ses frères et elle étaient seuls à Southern Cross. Mais pourquoi Reid semblait-il préoccupé ? Ça n'était pas son genre…

Soudain, Victoria fit irruption dans le salon.

— Il est ici ! souffla-t-elle d'une voix mal contenue. Devant la porte.

Le cœur d'Annie fit un bond.

— Qui ça ? demanda-t-elle en feignant l'indifférence.

— Theo Grainger, bien sûr ! Annie, tu aurais pu me dire que ton philosophe était aussi beau ! Je n'aurais jamais cru que des lunettes pouvaient donner un look aussi sexy à un homme. Et comble du chic, il a une décapotable gris métallisé avec un dalmatien à l'arrière !

— Je lui avais pourtant dit de ne pas s'embêter à venir me chercher. Je…

— Tu avais peur qu'on soit jalouses, pas vrai ? demanda Victoria avec un petit rire. Eh bien, tu avais raison !

4.

Sur le trajet, Theo dut se faire violence pour ne pas céder à l'enthousiasme communicatif d'Annie.

Pourtant, il se sentait très sûr de lui avant qu'elle ne monte dans la voiture. Il s'était dit qu'il saurait se montrer courtois et amical, tout en gardant ses distances. Compte tenu de la différence d'âge, cela n'aurait pas dû être un problème. Mais c'était sans compter sur la personnalité d'Annie, et la façon déconcertante qu'elle avait de le prendre sans cesse au dépourvu.

Sitôt arrivé dans sa petite maison de la Rive Gauche, Theo porta les bagages de la jeune femme à l'étage, où se trouvaient les chambres, et les déposa sur le seuil de celle de son neveu.

— Damien est rudement ordonné, déclara Annie en entrant dans la pièce.

— J'ai demandé à Mme Feather, la femme de ménage, de ranger ses affaires.

— Elle a fait du beau travail.

C'était vrai. Mme Feather avait suivi les instructions de Theo à la lettre… Avec pour seule décoration un réveil et une lampe de chevet, la chambre de son neveu ressemblait presque à une cellule monacale. Les murs étaient nus.

Dans un coin, sur une petite table en pin, un ordinateur sommeillait sous sa housse en plastique, et les stores à lattes de bois étaient baissés.

— Vous avez une salle de bains attenante, annonça Theo, en indiquant une porte.

— C'est merveilleux, merci.

— Bon, je descends préparer le dîner, déclara-t-il encore.

Annie fronça les sourcils

— Vous n'allez pas faire la cuisine ?

— Si, pourquoi ?

Il haussa les épaules et demanda avec un sourire taquin :

— Vous ne me faites pas confiance ?

— Si, mais c'est à moi de cuisiner. Vous travaillez et vous me recevez : cela me fait deux bonnes raisons.

Il sourit plus largement.

— Une autre fois, peut-être, mais pas ce soir.

Une fois Theo parti, Annie sortit sa trousse de toilette de son sac et alla se rafraîchir dans la petite salle de bains.

Elle se brossa longuement les cheveux, emmêlés après le trajet en décapotable. Elle songea un instant à mettre un peu de rouge à lèvres, mais se ravisa. Theo ne devait surtout pas s'imaginer qu'elle cherchait à lui plaire. Ce serait maladroit.

Elle déferait ses bagages plus tard, décida-t-elle, elle avait hâte de découvrir le reste de la maison.

Elle passa devant la chambre de Theo : les derniers rayons du soleil filtraient à travers les stores. Un boutis de soie ivoire et un assortiment de coussins noirs et beiges recouvrait le lit. Entre les deux élégantes tables de nuit encombrées de livres, celui-ci était immense. L'atmosphère devait être encore plus sensuelle quand les belles lampes de chevet étaient allumées... La vision de Theo étendu sur ce lit surgit soudain dans l'esprit d'Annie...

Elle secoua la tête pour chasser cette image, et descendit l'escalier à la hâte. Pour accéder dans la cuisine, il fallait traverser le séjour. Au passage, la jeune femme admira de nouveau les talents de décorateur de son hôte. Comme dans la chambre, la pièce était traitée dans des tons de beige et de noir qui s'accordaient à ravir avec le parquet couleur miel et les bibliothèques. Sur un mur peint en rouge sombre trônait un tableau abstrait représentant des formes noires et rouges. L'ensemble créait une ambiance masculine et très chic.

Dans la cuisine, une voix de femme chantait, troublante, émouvante, sur une musique à la fois langoureuse et rythmée. Billy Holiday ! Encore une passion qu'Annie avait cru partager avec Damien...

En s'approchant, elle découvrit Theo qui s'activait devant le plan de travail. Pour Annie, dont les frères ne se mettaient aux fourneaux qu'en toute dernière extrémité, le spectacle était saisissant. Et pour ne rien gâcher, ce que préparait Theo sentait divinement bon. Annie se sentit comblée, comme si elle venait d'entrer dans un lieu qui n'était fait que pour elle et où elle était attendue depuis toujours. Elle se sentit profondément émue en découvrant la table dressée pour deux dans le patio.

— Le repas est presque prêt, lança Theo par-dessus son épaule. J'ai mis du vin blanc au frais. Vous en voulez ?

Il se tourna pour lui sourire et Annie crut qu'elle allait défaillir.

*
* *

Theo avait préparé de délicieuses moules qu'il servit avec des pâtes linguine, accompagnées de tomates concassées et de basilic.

— Qui vous a donné cette recette ? demanda-t-elle.

— Paulo, un restaurateur que j'ai connu à Rome lors d'un de mes voyages là-bas.

— J'aurais dû m'en douter, rétorqua Annie en souriant. Vous connaissez la vraie cuisine italienne, vous. J'imagine que vous n'éprouvez jamais le besoin d'aller dîner à La Piastra !

— Au contraire, c'est un de mes restaurants préférés.

Comme Damien… Ces analogies commençaient vraiment à troubler Annie. Pour ne plus y penser, elle baissa les yeux sur Basilic, allongé à leurs pieds. Lui au moins avait l'air paisible !

Elle prit une petite gorgée de vin.

— Racontez-moi votre vie à Southern Cross, lui demanda Theo. Je me fais sans doute une idée très romantique de l'existence dans un domaine d'élevage. J'en ignore tout, sauf ce qu'on raconte dans les livres d'enfants.

Annie haussa légèrement les épaules.

— Les occupations diffèrent selon les saisons. Mais elles sont assez routinières : il faut assurer l'entretien des véhicules, des outils, et surtout des clôtures. Il faut aussi vérifier les canalisations et les réservoirs.

Elle sourit.

— Il y a tout de même un moment amusant et agréable : celui du rassemblement du bétail. On part dans le bush plusieurs jours d'affilée, on dort à la belle étoile et on passe les journées à cheval.

— Il y a longtemps que je n'ai pas dormi à la belle étoile, déclara pensivement Theo comme s'il se parlait à lui-même.

— Vous devriez venir dans la Star Valley. On l'appelle ainsi parce qu'on voit dans le ciel plus d'étoiles que partout au monde, et qu'elles sont très brillantes.

— Voilà qui est tentant.

Theo remplit leurs verres de vin avant d'ajouter :

— D'une certaine manière, c'est en contemplant les étoiles que j'ai eu envie d'apprendre la philosophie.

— C'est vrai ? s'étonna Annie.

— Oui. L'été après mon bac, j'ai passé des vacances sur la côte avec des amis. Un soir que nous guettions les étoiles filantes, j'ai pris tout d'un coup conscience de l'immensité du ciel et de l'univers.

— Une immensité qui donne le frisson, n'est-ce pas ?

— Oh oui ! Alors je me suis demandé quelle était la place de l'homme dans tout ça.

— La philosophie répond à ce genre de questions ?

— Pas de façon précise et définitive, non, mais elle offre des théories et des hypothèses qui permettent de mieux réfléchir et de forger, en partie du moins, ses propres réponses.

— Vous avez les vôtres ?

Theo sourit.

— Il serait prétentieux de répondre par l'affirmative. Disons qu'elles mûrissent.

Annie poussa un soupir. Il y avait tant de questions qu'elle voulait poser à Theo : sur l'existence de Dieu, sur le sens de la vie, etc. Elles étaient si nombreuses que, ne sachant par où commencer, elle demanda :

— Vous avez fait de la philosophie tout de suite après le bac ?

— Non. Mon père a exigé que je commence par des études plus pratiques : j'ai donc étudié les sciences économiques. La philosophie est arrivée après. Par accident, pourrait-on dire.

— Comment cela ?

Theo eut un petit sourire.

— Je n'en suis pas très fier. Mais c'était il y a des siècles, ne l'oubliez pas. J'avais dix-huit ans, et je rêvais d'impressionner les filles. Seulement voilà, j'étais d'une timidité maladive. Je me demande pourquoi je vous raconte ça...

Il toussota nerveusement.

— Comme ma sœur aînée m'avait dit que les filles aimaient les intellos, poursuivit-il, j'ai eu l'idée de m'installer dans les cafés d'étudiants pour lire ostensiblement de gros livres de philosophie. Tout ça en fumant la pipe. J'espérais que cela me donnerait l'air intelligent.

— Vous fumiez la pipe ?

— Je faisais semblant. Elle n'était pas allumée, mais il me semblait que c'était le signe distinctif de tous les grands intellectuels de l'époque.

— Et les filles étaient impressionnées ?

— Si vous voulez tout savoir, mon système marchait très bien.

Annie se sentit soudain jalouse de toutes ces filles qu'il avait séduites ainsi. Elle prit une nouvelle gorgée de vin.

— Je ne vois pas le rapport entre la philosophie et le désir de plaire aux filles. Ou alors je me fais une idée complètement fausse de la philosophie.

Theo se mit à rire.

— Je vais vous expliquer. Un jour, j'ai pris un livre de Sénèque, un philosophe romain. Quand je l'ai ouvert, il m'a tellement passionné que j'en ai oublié de surveiller les filles du coin de l'œil. A compter de ce jour, je me suis passionné pour la philo.

— Et vous avez renoncé aux filles ? interrogea Annie avec une fausse candeur.

— Euh… non, pas exactement.

Leurs regards se croisèrent par-dessus la table, et Annie baissa précipitamment les yeux tant elle était troublée. Pour se donner une contenance, elle demanda :

— Que disait donc Sénèque pour vous captiver à ce point ?

— Oh, des tas de choses. D'ailleurs il vous intéresserait aussi, vous qui venez du bush.

— Il y a donc un lien entre un philosophe de l'Antiquité et la vie dans le bush ?

— Sénèque prônait l'acceptation des contraintes de la nature. Comme vous, qui avez appris à vous accommoder des feux de brousse, de la sécheresse, et de tous ces phénomènes naturels auxquels on ne peut rien.

Annie se mit à rire.

— Qu'y a-t-il de si drôle ? demanda Theo.

— Si vous croyez que nous acceptons facilement notre vie, vous vous trompez. Pourquoi suis-je venue à Brisbane, à votre avis ?

Comme il semblait ne pas comprendre, elle expliqua :

— Parfois, nous en avons assez que la vie soit si compliquée. Même les choses les plus simples nous posent des problèmes. Par exemple, commander un livre sur Internet est un vrai casse-tête, parce que mon adresse postale

« Southern Cross, par Mirrabrook » n'est pas valide sur la plupart des sites.

Theo sourit.

— Et ce n'est rien, j'imagine, en comparaison des problèmes que posent les sécheresses et les inondations ?

— Absolument.

Il hocha la tête en la dévisageant avec un mélange de curiosité et de tendresse. Au bout de quelques secondes, il se redressa sur son siège et posa sa serviette sur la table.

— Excusez-moi, Annie, mais il faut impérativement que j'aille travailler dans mon bureau.

Elle bondit sur ses pieds.

— Bien sûr. Je m'occupe de tout ranger, laissez-moi faire.

— Mais il faut que je vous montre où placer les choses.

Après qu'ils eurent tout rangé, Theo prépara du café.

— Je prendrai le mien dans mon bureau, annonça-t-il. Bonne nuit, Annie.

— Bonne nuit, Theo.

Après avoir bu son café, Annie remonta dans la chambre pour ranger ses affaires. A sa grande surprise, elle constata que tous les placards étaient vides.

Elle se laissa alors tomber au bord du lit, luttant contre un soudain sentiment de malaise. Pourquoi avoir ainsi vidé la chambre de Damien, avoir en quelque sorte effacé sa présence ? Parce qu'il n'existait pas ?

Quelle pensée stupide, se dit-elle en secouant la tête. Si c'était le cas, Theo ne serait pas son oncle… Le malaise d'Annie se mua subitement en panique. Et si Theo et Damien n'étaient qu'une seule et même personne. Cela expliquerait que tous deux aient exactement les mêmes goûts.

Theo aurait utilisé Damien comme nom d'internaute ? Cette hypothèse lui donnait le vertige. Elle serra les poings : elle devait se reprendre tout de suite et ne pas laisser son imagination vagabonder ainsi. Il y avait certainement une explication plus logique à tout ça.

Hélas, Annie ne la voyait pas. Elle frissonna en pensant qu'elle s'était installée avec un homme dont elle ignorait tout, un homme qui pouvait très bien avoir deux vies parallèles.

Voilà qui n'était guère rassurant !

5.

Melissa appela le lendemain en début d'après-midi.

— Je voulais m'assurer que tout allait bien, dit-elle.

— Cela se passe pour le mieux, répondit Annie. Je prépare un risotto aux asperges.

— Tu fais déjà la cuisine pour ce soir ?

— C'est que… je fais tout moi-même, même le bouillon.

— Eh bien, pour quelqu'un qui rêvait de courir les galeries et les musées ! s'exclama son amie avec ironie.

— J'ai vu deux expositions ce matin, se défendit Annie, mais je voulais…

— Impressionner le Pr Grainger par tes talents culinaires, peut-être ?

Exactement. Mais avant d'impressionner Theo, Annie avait compris qu'il fallait *l'intéresser*. La façon dont il s'était comporté ce matin ne lui laissait guère de doute sur la question…

Pour commencer, il était parti promener Basilic sans l'attendre : il est vrai qu'ayant mal dormi, elle ne s'était pas réveillée assez tôt. Ensuite ils avaient pris leur petit déjeuner ensemble, mais Theo n'avait pas levé le nez de son journal. Et ce n'est qu'au moment de partir qu'il avait annoncé avoir des places de théâtre pour le soir.

— Theo fait une cuisine de rêve, Mel. Il faut que je sois à la hauteur.

— N'oublie pas que tu es venue à Brisbane pour oublier les besognes ménagères, Annie. J'appelais pour savoir si tu voulais sortir avec nous ce soir ?

— Merci de le proposer, mais Theo a des places pour le théâtre.

— Ouah, commenta Melissa en riant. Dans ce cas, amuse-toi bien.

Après un silence, elle ajouta :

— Tu sais, je ne suis pas certaine que tu aies fait le bon choix.

— Ne t'inquiète pas, j'ai la situation bien en main.

Du moins l'espérait-elle.

Quand la salle s'éclaira, Theo découvrit qu'Annie se tamponnait les yeux avec un mouchoir en papier.

— Quelle fin sinistre ! murmura-t-elle. Je préfère les histoires qui se terminent bien.

— La pièce ne vous a pas plu ?

— Oh si, je ne me suis pas ennuyée une seconde, mais les dernières minutes ! Quelle déception !

Elle semblait si malheureuse que Theo fut tenté de la prendre par les épaules pour la réconforter. Mais elle était trop jolie, ce soir, pour s'autoriser ce genre de privauté. Malgré les larmes qui voilaient encore ses yeux, elle était irrésistible dans sa robe rouge toute simple. Si mince, si féminine. Infiniment désirable.

Raison de plus pour garder ses distances...

Theo fourra les mains dans ses poches tandis qu'ils se mêlaient à la foule qui sortait du théâtre. Sortir lui avait paru plus sage que de passer la soirée en tête à tête à la maison. Cette fille avait trop de charme, ou plutôt, il était trop sensible à son charme. Son visage si expressif le fascinait, sa spontanéité le charmait et le déconcertait tout à la fois. Elle l'écoutait avec une attention religieuse qui le flattait, et puis... et puis... elle était tout simplement adorable et attirante...

Tout en marchant, il la regardait à la dérobée. Sa démarche avait une grâce fluide. Et quand ses cheveux accrochaient la lumière d'un réverbère, ils brillaient comme de la soie. Il aurait tant aimé les caresser... Sentir la douceur de sa peau et... et bien d'autres choses.

Theo se maudit intérieurement. Lui qui était toujours si maître de lui, voilà qu'il fantasmait comme un adolescent sur le corps d'Annie ! Quelle erreur... Elle était trop jeune pour s'intéresser à l'ennuyeux professeur qu'il était certainement à ses yeux.

— Je vous sers un café ? Un cognac ? Les deux ? demanda Theo lorsqu'ils furent arrivés chez lui.

Annie perçut une certaine tension dans sa voix. Qu'avait-il ? Regrettait-il d'avoir passé la soirée avec elle ?

— Je veux bien un cognac, merci, répondit-elle. Le café m'empêche de dormir.

— Installez-vous, je m'en occupe.

Elle se laissa tomber dans un fauteuil tandis qu'il sortait une bouteille et deux verres. Après les avoir remplis et posés sur la table basse, il s'assit sur le canapé. Il desserra son nœud de cravate et ferma un instant les yeux. Il semblait plus détendu maintenant, mais peut-être prenait-il sur lui pour le lui faire croire ?

Il lui sourit.

— Merci de m'avoir accompagné au théâtre.

— Merci de m'avoir invitée, Theo. J'ai passé une soirée fabuleuse.

— Et encore bravo pour votre délicieux risotto, Annie.

Theo but une gorgée de cognac et elle l'imita. Trop nerveuse pour supporter le silence, elle reprit très vite la parole.

— J'aimerais vous poser des questions peut-être embarrassantes. Je peux ?

Il éclata de rire.

— Allez-y, je suis prêt.

Elle sourit nerveusement.

— C'est à cause de notre conversation d'hier soir. Je... je me posais des questions au sujet de vos petites amies.

— Oh, mon Dieu ! Qu'allez-vous chercher ?

— Je veux dire... Vous en avez une en ce moment ?

Il attendit quelques instants avant de répondre.

— Je sors avec des femmes, oui, dit-il comme s'il voulait bien peser ses mots. Mais je n'ai personne en ce moment.

— Et vous êtes toujours timide ?

Il rit de nouveau, tandis qu'une lueur malicieuse s'allumait dans ses yeux.

— Je ne traîne plus dans les cafés avec un gros livre et une pipe, si c'est votre question.

Annie éclata de rire à son tour.

— Bon, j'abandonne le sujet. Mais j'ai une autre question, et elle n'est pas facile non plus.

— J'y répondrai de mon mieux, rétorqua Theo.

— Que pensent les philosophes de l'amour ?

Annie lut alors une certaine méfiance dans son regard, et il prit une nouvelle gorgée de cognac avant de répondre.

— Les philosophes ne se sont jamais beaucoup intéressés à l'amour romantique. Ils préfèrent laisser le sujet aux poètes.

— Pourquoi ?

— Disons que… il y a des domaines de réflexion plus sérieux.

Annie ne put s'empêcher de hausser les épaules pour marquer son désaccord.

— Evidemment, concéda-t-il, l'amour peut parfois surprendre les plus grands penseurs.

— Bien sûr ! s'exclama Annie, qui se pencha en avant pour donner plus de force à ses mots. Vous n'allez tout de même pas me faire croire que tous les philosophes ont fait l'impasse sur ce vaste sujet.

— Non, bien sûr. Pas une impasse totale, en tout cas.

— Alors ? Qu'en disent-ils ?

— Eh bien, cela dépend. Pour Schopenhauer, un philosophe allemand du XIXe siècle, l'amour est une question importante parce qu'il garantit le renouvellement des générations.

Annie fixa son compagnon, incrédule.

— Vous êtes sérieux ?

— Tout à fait.

— C'est horrible ! Personne n'a rien trouvé de plus intéressant à dire sur le sujet ?

Theo sourit de nouveau avec malice.

— L'idée se tient, vous savez.

— Essayez de me convaincre.

— Nous pourrions prétendre que nous sommes attirés par les personnes dont les gènes s'accordent bien avec les nôtres.

— Mais cela n'a rien avoir avec le véritable amour ! protesta-t-elle.

Theo détourna les yeux.

— C'est une théorie, Annie. Disons que ce processus de sélection naturelle fonctionne à un niveau inconscient. Elle pourrait expliquer pourquoi les humains ont la fâcheuse tendance de s'amouracher systématiquement de personnes qui ne leur conviennent pas. Leurs gènes seraient complémentaires, mais pas leurs tempérament.

— Vous y croyez vraiment ?

— Nous l'avons tous constaté, non ? En général, les couples d'amoureux sont formés de deux personnes *a priori* incompatibles. A l'inverse, quand un homme et une femme sont bien assortis, il est rare qu'ils tombent amoureux.

Annie eut soudain la chair de poule.

— C'est la règle ?

— En tout cas, on le constate tous les jours.

Elle se cala contre le dossier de son fauteuil pour boire une gorgée de cognac. Puis, les yeux fixés sur son verre, elle murmura :

— Cela expliquerait que je sois tellement attirée par vous.

— Pardon ?

Le cœur battant à tout rompre, Annie répéta :

— J'ai dit que cela pourrait expliquer que je sois attirée par vous.

Elle leva les yeux. Interloqué, Theo la fixait intensément. Elle nota cependant avec un certain soulagement qu'il n'avait pas l'air horrifié par ce qu'elle venait de dire.

— Nous semblons incompatibles, tous les deux, poursuivit-elle. Par exemple, vous avez fait des études poussées, moi non.

Elle baissa les yeux.

— J'aurais pensé que la différence d'âge serait un problème plus important à vos yeux, dit Theo.

— Voyons ! Vous n'avez que dix ans de plus que moi.

— Neuf, rectifia-t-il.

— Vous voyez, nos incompatibilités disparaissent les unes après les autres.

— C'est vrai.

Sans la quitter des yeux, Theo posa son verre sur la table. Annie sentait battre son cœur à toute vitesse dans sa poitrine. Qu'allait-il se passer ? Allait-il l'embrasser ? Mais soudain, elle le vit fermer les yeux et étouffer une exclamation qui ressemblait à de l'agacement.

— Annie, votre franchise est désarmante, mais nous ne devrions pas avoir ce genre de conversation.

— Pourquoi ?

— Il nous faut prendre du recul et réfléchir.

— A quoi ?

— Eh bien, aux raisons qui vous ont amenée à Brisbane. A ce que vous y cherchez. J'ai cru comprendre que vous étiez venue dans l'espoir de vivre une aventure amoureuse avec un jeune garçon. Et le hasard a voulu que vous me rencontriez.

C'était le moment de tirer au clair cette histoire, se dit Annie. S'était-il fait passer pour Damien ? Mais le doute qui la rongeait quand elle se retrouvait seule avait tendance à s'évaporer quand elle était en sa compagnie. Comment imaginer qu'un homme aussi beau, aussi séduisant, aussi intelligent que Theo ait besoin d'Internet pour faire des rencontres ?

— Franchement, déclara-t-elle, je ne pense plus à Damien.

— Peut-être, mais ne voudriez-vous pas rencontrer des garçons de votre âge ?

— Je suis bien avec vous.

Theo secoua la tête.

— Allons, je ne suis pas le genre d'homme avec lequel vous pourriez avoir une aventure.

— Et pourquoi pas ?

Une nouvelle fois, la question avait échappé à Annie.

— Vous êtes quelqu'un de normal, non ? ajouta-t-elle avec plus de force qu'elle n'aurait voulu.

— Si l'on veut. Je suis surtout un intellectuel horriblement ennuyeux.

Annie écarquilla de grands yeux.

— Ennuyeux ? C'est tout le contraire ! Plus je vous connais, plus je trouve que vous êtes l'homme le plus intéressant que j'aie jamais rencontré !

Theo parut se raidir et ses yeux s'embrasèrent d'une étrange chaleur. L'espace d'un instant, Annie pensa qu'il allait bondir pour la prendre dans ses bras. Mais au lieu de ça, il détourna les yeux.

— Je n'arrive pas à croire qu'une fille aussi jolie et séduisante que vous ait dû venir à Brisbane pour trouver un petit ami, finit-il par déclarer. Sont-ils tous aveugles, les garçons du bush ?

Annie ne répondit pas tout de suite. Elle était trop heureuse qu'il la trouve jolie et séduisante…

— J'ai essayé de sortir avec plusieurs garçons, répliqua-t-elle. Mais très vite, je me suis ennuyée. La théorie de votre Allemand doit avoir du vrai : il aurait été parfait que je tombe amoureuse d'un éleveur de bétail, mais le déclic ne s'est jamais produit. Je trouve les hommes de la ville beaucoup plus intéressants.

Theo ne bougeait pas et fixait obstinément le parquet. A ce moment-là, un doute affreux assaillit Annie. Avait-elle mal évalué la situation ? Elle avait pensé que l'émoi que Theo provoquait en elle était réciproque, mais elle avait peut-être pris ses désirs pour des réalités. Quelle idiote ! Il devait amèrement regretter de lui avoir proposé de l'héberger…

Elle se redressa sur son siège.

— Je peux retourner chez Melissa, si vous voulez, déclara-t-elle.

Elle sentait les larmes toutes proches. Non, elle n'allait pas craquer devant lui, ce serait une humiliation supplémentaire qu'elle ne pourrait supporter.

— Bonsoir, Theo.

Et sans le regarder, elle s'élança vers l'escalier.

Theo la suivit des yeux.

Bien sûr, il valait mieux qu'Annie retourne chez ses amies. L'avoir invitée était une erreur, plus dangereuse qu'il n'avait voulu l'admettre sur le coup.

Soudain, il se vit ramener Annie chez Melissa puis rentrer seul sans elle. En quelques jours, elle avait pris tant de place dans sa vie… Une fois qu'elle serait partie, il ne lui resterait plus qu'à sortir de temps en temps avec des collègues cultivées et pédantes, à les emmener au théâtre sans risque qu'elles éclatent en sanglots si la pièce se terminait mal…

Theo bondit sur ses pieds et grimpa l'escalier quatre à quatre. Il la rattrapa au moment où elle allait refermer la porte de sa chambre.

— Je n'ai pas envie que vous partiez, Annie.

Elle leva sur lui un visage très pâle. Ses yeux brillaient étrangement.

— C'est vrai ? murmura-t-elle.

Il secoua la tête avec un petit sourire d'excuse.

— Oui. J'aimerais que vous restiez ici.

— Que... Qu'est-ce qui vous a fait changer d'avis ?

Cette fois, il eut un vrai sourire.

— Vous voulez vraiment le savoir ? Eh bien plus je vous connais, plus je trouve que vous êtes la femme la plus intéressante que j'aie jamais rencontrée.

Elle parut troublée. Puis une joie merveilleuse illumina son visage.

— C'est très gentil de me dire ça.

Mais au lieu de se jeter dans ses bras avec sa spontanéité habituelle, elle se contenta de lui dire bonsoir avant de refermer doucement sa porte.

6.

Annie dansait de joie. Theo la trouvait intéressante... La femme la *plus* intéressante qu'il ait jamais connue !

Un coup frappé à la porte la surprit alors qu'elle faisait une pirouette, en équilibre instable sur un pied. Si instable qu'elle tomba sur le sol au moment où la porte s'ouvrit.

Theo ! Elle leva les yeux sur lui et se sentit rougir.

— Pardon, dit-il en se penchant pour lui tendre une main secourable, je ne voulais pas vous effrayer.

S'aidant de la main tendue, Annie se remit maladroitement debout.

— Vous ne vous êtes pas fait mal, au moins ?

— Non... pas du tout.

Pour dissimuler son trouble, elle fit mine de lisser sa robe sur ses hanches.

— Vous... vous désiriez quelque chose, Theo ?

Une lueur amusée brillait dans ses yeux.

— Oui, je voulais vérifier quelque chose avec vous. Je n'ai pas rêvé, n'est-ce pas, vous m'avez bien dit que vous étiez attirée par moi ?

— Oh...

Cette fois, Annie sentit qu'elle était devenue écarlate.

— Euh... oui.

Prenant ses mains dans les siennes, Theo sourit de ce sourire irrésistible qui la faisait fondre.

— Tant mieux. Parce que, au cas où vous ne l'auriez pas remarqué, l'attraction est réciproque.

Et il la prit dans ses bras.

— Je suis très, très attiré par vous, murmura-t-il.

— Oh, Theo..., chuchota-t-elle.

Il caressa sa joue du bout des doigts, ce qui fit courir un frisson le long de son dos. Se sentant défaillir de plaisir, elle ferma les yeux tandis qu'il déposait des baisers légers sur son cou, avant de prendre enfin ses lèvres. Elle éprouvait un désir qu'elle n'avait jamais connu auparavant. Etre embrassée par Theo, serrée entre ses bras puissants, sentir sa langue forcer doucement ses lèvres...

Annie se lova davantage contre lui, ondulant des hanches pour mieux percevoir la chaleur de son corps... Le baiser de Theo se fit alors plus ardent, plus exigeant, tandis que ses mains glissaient le long de ses épaules pour s'emparer de ses seins à travers la fine étoffe de sa robe. Elle gémit tandis qu'il la guidait vers le lit de Damien.

Damien ! Ce fut comme si une sonnette d'alarme la tirait d'un rêve merveilleux.

Theo s'immobilisa.

— Ça ne va pas ?

Elle s'en voulait de gâcher ces instants merveilleux, mais le nom lui échappa.

— Damien...

Il la scruta avec une intensité qu'elle ne lui avait encore jamais vue. Puis, avec une expression triste et perplexe à la fois, il recula d'un pas.

— Vous pensez toujours à lui ?

— Non ! Bien sûr que non...

Elle serra nerveusement ses mains l'une contre l'autre.

— Que se passe-t-il, Annie ? Je vous ai fait peur ?

— Non… non, pas du tout.

Elle jeta un regard autour d'elle.

— C'est cette chambre. Je… je crois que je n'ai toujours pas compris qui était Damien, ni pourquoi il a disparu. Il n'y a aucune trace de lui dans cette chambre et je dois avouer que cela me perturbe. De temps en temps j'ai peur que…

Elle hésitait à poursuivre.

— De quoi avez-vous peur ? insista Theo.

— Que… que Damien et vous ne soyez qu'une seule et même personne.

— Damien et moi ?

La stupéfaction qui se peignit sur les traits de Theo rassura Annie.

— Je me dis que Damien est peut-être votre nom d'internaute, expliqua-t-elle plus calmement. Une sorte de code…

— Oh, Annie !

Theo secoua la tête et passa une main nerveuse dans ses cheveux. Puis il étouffa une exclamation irritée avant de déclarer :

— Il est temps que mon irresponsable de neveu assume ses bêtises. Je vais le contacter pour qu'il vienne vous présenter ses excuses en personne.

Il caressa de nouveau la joue d'Annie.

— Je suis content que vous m'ayez dit la vérité, dit-il, et que vous ayez arrêté les choses avant qu'elles ne deviennent incontrôlables. Passez une bonne nuit, à présent.

Lorsqu'elle fut seule, Annie se laissa tomber sur le lit, en proie à des sentiments contradictoires : elle était heureuse, bien sûr, et rassurée, mais son cœur se serrait à la pensée de ce qui avait failli se passer et qui ne se reproduirait peut-être jamais. Par sa propre faute.

Le lendemain matin, Annie se trouvait sous la douche quand elle entendit quelqu'un crier dans sa chambre.

— Qu'est-ce que c'est que ce bazar ? Où sont mes affaires ?

Elle tendit l'oreille.

— Ma chaîne hi-fi, mes CD ! rugissait maintenant la voix. Et mon lecteur de DVD ? Qu'est-ce qui s'est passé ?

Annie coupa l'eau pour mieux entendre. Bientôt on tambourina à la porte de la salle de bains :

— Qui est là-dedans ?

— Hé, du calme ! cria-t-elle à son tour. Inutile de hurler comme ça.

Elle saisit une serviette qu'elle enroula autour d'elle, et, la maintenant d'une main, elle entrouvrit la porte de quelques centimètres.

Un adolescent à lunettes, apparemment ivre de rage, se tenait devant elle… Il portait un T-shirt trop grand, un short informe et des tongs en plastique. Et maintenant, il avait l'air aussi stupéfait qu'elle.

— Qui êtes-vous ? balbutia Annie.

Theo fit alors irruption dans la chambre.

— Sors tout de suite de cette pièce, intima-t-il au jeune homme.

— Hé ! Tu me fais revenir de vacances pour m'éjecter de ma chambre ? Qu'est-ce qui te prend ?

— Jusqu'à nouvel ordre, cette chambre n'est plus la tienne !

Ebahie, Annie les observait tous les deux. Ce gamin n'était tout de même pas Damien ? Mon Dieu ! Il avait dix-sept ans tout au plus ! Où était le surfeur aux cheveux décolorés par le soleil dont il lui avait envoyé la photo ?

— Pas possible ! marmonna l'adolescent, soudain écarlate. Vous êtes Annie, non ?

Ses derniers espoirs s'évanouirent. L'erreur n'était plus possible. Voilà donc l'homme sur lequel elle avait tant fantasmé !

Malade de honte, Annie s'appuya au chambranle de la porte, tandis que Damien continuait à la dévorer des yeux. Theo le saisit alors par le col de son T-shirt pour le sortir de force de la chambre.

— Comment j'aurais pu savoir ? glapit Damien. Tu me dis de revenir de toute urgence, et... J'y comprends rien ! Pourquoi Annie est-elle là ?

Leurs voix s'affaiblirent tandis qu'ils descendaient l'escalier. Annie referma la porte de la salle de bains et s'y adossa, anéantie. Damien ! C'était un gosse ! Et dire que pendant des semaines elle avait correspondu avec lui, lui avait raconté sa vie, ses espoirs... Elle lui avait ouvert son cœur, son âme, lui avait dévoilé ses pensées les plus intimes... Son amour-propre en prenait un sacré coup.

Mais une colère immense la submergea bientôt. Certes, elle s'était ridiculisée, mais ce môme ne manquait pas de culot ! Il s'était moqué d'elle !

En hâte, elle enfila un jean et un T-shirt. Puis, sans se soucier de ses cheveux encore mouillés, elle descendit au rez-de-chaussée.

Dans la cuisine, Theo et Damien se faisaient face, aussi furieux l'un que l'autre.

— Va où tu veux, grondait Theo, je ne te veux plus ici. Quand tu auras présenté tes excuses à Annie, retourne avec tes copains sur la côte, si ça te dit, je ne veux plus te voir.

— Tu me vires parce qu'Annie McKinnon a pris ma place ?

Un instant, Theo parut embarrassé, mais sa colère reprit vite le dessus.

— Il est temps que tu assumes les conséquences de tes actes, Damien ! Tu as causé à Annie beaucoup de désagréments, et le mot est faible. J'exige que tu lui présentes des excuses !

S'apercevant qu'Annie venait d'entrer, Damien se tourna vers elle et rougit de confusion.

— Je suis désolé, Annie.

— Je l'espère bien, rétorqua-t-elle sèchement.

— Je veux des excuses en bonne et due forme, intervint sévèrement Theo. Regarde Annie dans les yeux, et dis-lui pourquoi tu es désolé.

— Pas la peine de m'agresser ! s'emporta Damien. Elle sait très bien pourquoi.

Theo serra les mâchoires.

— Tu vas le lui dire, ou tu le regretteras !

Damien fusilla son oncle du regard, mais celui-ci ne cilla pas. Le jeune homme finit par baisser les yeux.

— Je m'excuse…

— Regarde-la en face ! lui intima son oncle.

Damien redressa les épaules, et fixa Annie.

— Je suis vraiment désolé, je me suis comporté comme un idiot. D'abord je n'aurais jamais dû aller sur un site de rencontre. Ensuite, quand vous m'avez dit votre âge, j'aurais dû laisser tomber. Mais je ne sais pas pourquoi, j'ai continué. Je suis désolé pour le rendez-vous au restau et tout le reste. Franchement, je n'imaginais pas que vous viendriez.

Annie attendit quelques secondes avant de lui répondre.

— Il n'est pas très agréable de découvrir qu'on s'est moqué de vous, Damien. Surtout quand il s'agit d'un gamin qui se fait passer pour ce qu'il n'est pas. Car tu ne ressembles guère à la photo que tu m'as envoyée, tu sais.

Le jeune homme baissa la tête sans répondre.

— Quant à moi, je n'ai pas apprécié la façon dont tu as filé avec tes copains en me laissant un message confus pour que je répare le gâchis que tu laissais derrière toi, intervint Theo. En conséquence, j'ai dit à Annie qu'elle pouvait occuper ta chambre aussi longtemps qu'elle le souhaiterait.

Damien sembla vouloir protester, mais il se contenta de demander :

— Qu'as-tu fait de mes affaires ?

— Elles sont chez ton grand-père.

Le jeune homme parut soulagé. Prenant un air de martyre, il soupira.

— Grand-père acceptera peut-être de m'héberger, lui.

— Tu ne mérites aucune pitié, rétorqua Theo, mais ton grand-père ne te refusera sans doute pas l'hospitalité. En tout cas, à toi de lui expliquer pourquoi tu te trouves à la rue.

— A la rue ? s'exclama Annie, se sentant soudain coupable.

Theo lui lança un rapide regard.

— Ne vous inquiétez pas, mon père s'occupera de lui.

— J'espère que vous vous plairez dans ma chambre, dit Damien en se tournant vers elle.

Il ajouta avec un sourire moqueur :

— Mais vous n'allez pas beaucoup rigoler avec mon oncle Theo. C'est un vieux !

— Disparais ! rugit celui-ci.

Le jeune homme fila sans demander son reste.

— Je regrette que vous ayez appris de cette façon qui était vraiment Damien, dit Theo, quelques minutes plus tard.

Annie fronça les sourcils.

— Vous vouliez m'épargner l'humiliation de découvrir que je m'étais amourachée d'un gamin, c'est cela ?

— Oui.

Theo entreprit de remplir la machine à café avant d'ajouter :

— J'avais vidé sa chambre pour que vous ne vous doutiez pas qu'il était si jeune.

Elle soupira.

— Merci de votre délicatesse. J'avoue que je ne suis pas fière de moi. J'ai été si crédule ! J'ai débarqué à Brisbane, sûre d'avoir rendez-vous avec l'homme de ma vie… qui n'était autre qu'un ado !

Annie se mordit la lèvre en repensant à son excitation et à sa joie quand elle avait pris la décision de venir à Brisbane.

— J'ai même consulté une journaliste qui tient la rubrique « courrier du cœur » dans notre journal local, avoua-t-elle.

Theo sourit.

— Elle vous a bien conseillée ?

— Oh oui ! Elle m'a dit exactement ce que je voulais entendre.

Une bonne odeur de café régnait dans la pièce, à présent, et Annie commençait à se détendre. Après tout, pourquoi se montrer si dure avec elle-même ? Pourquoi ne pas profiter de la journée maintenant que le mystère Theo-Damien était élucidé ?

— Pourquoi votre neveu vit-il chez vous ? demanda-t-elle.

— Ma sœur l'élève seule, et à l'adolescence Damien est devenu très difficile. Il lui fallait une autorité masculine. C'est du moins ce que pensait Jane. Je me suis donc porté volontaire. Au début, il s'agissait d'un arrangement provisoire. Et puis, comme Jane travaillait beaucoup, l'habitude a été prise.

— Vous assumez donc la charge de Damien depuis qu'il est au lycée ?

— C'est exact.

— Cela n'a pas dû être facile.

Theo haussa les épaules.

— J'avoue qu'il y a eu des moments difficiles, mais Damien n'est pas un mauvais bougre. Il est seulement immature. Et s'il a des problèmes, c'est parce qu'il est précoce et doué intellectuellement.

— Il va à l'université ?

— Pas encore. Il a voulu prendre une année sabbatique, après son bac. J'étais d'accord, espérant qu'il mûrirait avant d'entreprendre des études sérieuses. Il a donc travaillé comme serveur dans un restaurant, mais il n'était pas assez occupé, et à son âge, ce n'est pas bon. Quand on a trop de temps libre, on ne pense qu'aux filles, et on fait toutes les bêtises possibles.

Theo poussa un soupir avant d'ajouter :

— Ce n'est pas vous qui me contredirez...

Annie hocha la tête, puis déclara :

— En tout cas, je ne doute pas qu'il soit très doué. Nous avons beaucoup correspondu par mail, et il sait utiliser les mots, croyez-moi. Pas une fois je ne me suis doutée qu'il était si jeune.

Elle sourit, avant de dire encore :

— De toute évidence, il vous tient en très haute estime.

— Pourquoi ?

— Parce qu'il a pris modèle sur vous pour me séduire.

— En prétendant adorer l'Italie et la philosophie ?

— Et Basilic ! Ses mails étaient pleins d'esprit, adorables et charmants.

Annie se tut comme lui revenaient les termes qu'elle avait utilisés pour le décrire dans sa lettre à Mamie Conseil.

— Je le trouvais chaleureux, reprit-elle, drôle et intelligent. Comme vous, acheva-t-elle en portant sur Theo un sourire un peu mélancolique.

Leurs regards se croisèrent, et Annie éprouva de nouveau ce mélange étrange de désir, d'attirance et de nostalgie qui l'avait laissée si confuse, la veille au soir, quand Theo, après l'avoir passionnément embrassée, l'avait quittée.

Pour cacher son trouble, elle aida Théo à couper le pain, mit les tranches dans le toaster, puis sortit les assiettes du placard.

Un peu plus tard, comme tous deux s'installaient dans

le patio pour prendre leur petit déjeuner, elle éclata brusquement de rire.

— Qu'y a-t-il de si drôle ? s'étonna Theo.

— Je réalise tout d'un coup que les efforts de Damien pour draguer sur Internet ne sont finalement pas si différents que ceux d'un certain jeune homme que nous ne nommerons pas, qui cherchait à séduire les filles en s'installant au fond d'un café avec un gros livre et une pipe.

Theo se mit à rire lui aussi.

— Vous avez marqué un point, Annie McKinnon !

— Theo m'a demandé de l'accompagner à une soirée avec ses collègues de l'université, expliqua Annie à Melissa quand celle-ci téléphona en milieu de matinée.

— Et tu comptes y aller ? Tu es folle, Annie !

— Peut-être, murmura-t-elle, mais j'ai dit oui. Je t'avoue que je suis un peu nerveuse. Depuis deux heures, j'essaie de potasser des bouquins de philosophie, mais je n'y comprends rien. C'est du chinois, pour moi. Dis-moi, Mel, tu crois que je suis stupide ?

A l'autre bout du fil, son amie se mit à rire.

— Certainement pas. Tu veux un conseil ? Le voici. Laisse tomber ces bouquins assommants ! Et cet après-midi, prends un bon bain, lave-toi les cheveux, et fais-toi les ongles des mains et des pieds. Puis choisis une jupe bien courte, et tu verras : tous ces profs ne penseront pas à t'interroger sur Socrate, crois-moi. Ils auront autre chose en tête.

— Mel ! Toi qui portais si haut le drapeau du féminisme ! Que t'est-il arrivé ?

— Je suis parfois pragmatique, c'est tout. Bon, je te

laisse, Annie, mon patron me fait les gros yeux. On s'appelle demain.

A l'instant même où ils arrivaient à la réception, Annie comprit qu'elle avait commis une erreur catastrophique... Sa tenue était complètement déplacée !

Theo lui avait assuré que la robe rouge qu'elle portait au théâtre convenait très bien pour ce cocktail à l'université. Mais sans tenir compte de son conseil, elle était retournée à la boutique où elle avait acheté le jean rose en compagnie de Mel et Victoria. Et là, bien sûr, elle avait craqué ! Craqué pour un amour de robe d'un rose très pâle, entièrement rebrodée de perles, et pailletée juste ce qu'il fallait pour accrocher la lumière. Une merveille, avec ses fines bretelles et son ourlet aux genoux tout festonné. A peine l'avait-elle essayée qu'Annie en était tombée amoureuse ! La forme près du corps mettait en valeur ses formes sans les mouler, et la couleur allait *parfaitement* avec son teint.

Hélas, paillettes et perles étaient *parfaitement* déplacées ici...

Effarée, Annie s'immobilisa sur le seuil de la salle des enseignants où avait lieu la réception.

Se tournant vers Theo, elle murmura :

— Vous auriez pu me le dire !

— Quoi donc ?

— Que ma tenue ne convenait pas du tout.

— Au contraire, elle est ravissante !

— Mais tout le monde est en noir !

— Pas tout à fait, et c'est sans importance.

Dans un angle de la salle, des musiciens en habits jouaient un quatuor de Schubert, tandis que des gens, un verre à la main, conversaient par petits groupes. Les hommes étaient en costumes sombres, et les femmes portaient toutes d'élégantes et discrètes robes noires ou bleu marine. Pas de rose, moins encore de perles et paillettes… Annie aurait volontiers disparu sous terre.

Tous ces gens appartenaient au même monde et elle se sentait parmi eux comme un spécimen d'une autre espèce.

Mais Theo la poussa doucement en avant. Une femme d'une soixantaine d'années, très élégante, se précipita vers eux.

— Theo ! Comme je suis contente que tu aies pu te joindre à nous !

La voix mélodieuse et distinguée rendit aussitôt Annie nerveuse, mais l'inconnue lui sourit avec chaleur, reprenant à son adresse :

— Enchantée de faire votre connaissance, je suis Harriet Fletcher.

Annie lui tendit une main qui, Dieu merci, ne tremblait pas, et Harriet embraya :

— C'est la première fois que vous venez à une de nos petites soirées, je crois ? Theo, je vais te ravir ta ravissante amie pour la présenter à tout le monde. Tu peux t'occuper de lui servir un verre ?

Et sans attendre, elle prit le bras d'Annie.

Suivit un tourbillon de présentations, jusqu'au moment où de nouveaux invités arrivèrent. Harriet alla les accueillir, abandonnant Annie au milieu d'un groupe de gens dont elle avait déjà oublié les noms.

Elle chercha Theo des yeux mais ne le trouva pas. Heureusement, elle vit à sa droite un homme qui lui souriait d'un air avenant. Elle s'approcha timidement de lui.

— Vous enseignez ici ? demanda l'homme.

— Non, je suis venue avec Theo Grainger.

— Quel est votre domaine de compétence ?

— Mon domaine de compétence ?

L'espace d'un instant, Annie pensa inventer quelque chose pour lui répondre. Mais elle préféra opter pour la vérité.

— Je n'en ai pas, je le crains, avoua-t-elle avec un faible sourire. Je vis avec mes frères dans un domaine du Queensland du Nord.

— Voilà qui est passionnant ! s'exclama l'homme.

Annie, médusée, comprit que celui-ci était sincère.

Il lui expliqua qu'il était chercheur en sciences de l'environnement, et qu'il faisait en ce moment une étude sur les réseaux fluviaux.

Quand Theo la rejoignit, quelques minutes plus tard, elle était en grande discussion avec le chercheur sur les espèces de poissons peuplant la Star River. Au bout d'un moment, Theo les interrompit :

— Il faut que je vous vole Annie, je le crains, afin de la présenter à des collègues du département de philosophie qui viennent d'arriver.

Annie sentit sa nervosité revenir. Les amis de Theo, ses confrères ? Qu'allaient-ils penser d'elle ?

— Ils sont tous très brillants, n'est-ce pas ? demanda-t-elle.

Theo sourit.

— Terriblement, oui, dit-il en l'entraînant.

— J'ai très peur, Theo.

Il s'arrêta pour la regarder, sans cesser de lui sourire.

— Soyez vous-même, Annie, et mes collègues vous adoreront.

Soudain, il lui prit la main et la porta à ses lèvres pour y déposer un baiser. Son sourire était si tendre qu'Annie se sentit submergée par l'émotion…

Theo la présenta à ses collègues, en expliquant qu'Annie arrivait du Queensland et passait quelques jours à Brisbane. Une certaine Claudia, une belle femme élégante, demanda :

— Comment avez-vous fait la connaissance de notre Theo ?

La question prit de court Annie, mais Theo vola à son secours.

— Par l'intermédiaire de mon neveu Damien. Annie et lui communiquaient sur Internet et échangeaient leurs idées sur la philosophie.

— Vous êtes donc philosophe ? demanda quelqu'un.

— Oh non, hélas, avoua Annie. La philosophie me fascine, mais je n'y connais pratiquement rien. Sans doute me faudrait-il des siècles de travail pour commencer à comprendre Aristote.

Sa réponse lui valut des sourires amusés et pleins de sympathie.

— Que fait le jeune Damien, cette année ? demanda un autre collègue de Theo.

— Rien de bien fameux, grommela celui-ci.

— Six mois dans une exploitation à travailler comme rabatteur lui feraient le plus grand bien, suggéra alors Annie qui se mordit aussitôt les lèvres.

Mais tout le monde parut d'accord, et la conversation s'orienta sur le difficile métier de parent. Jusqu'au moment où Claudia s'adressa de nouveau à Annie, pour demander avec condescendance :

— Comment vous sentez-vous dans cette grande ville ?

Cette femme mettait Annie mal à l'aise, sans qu'elle comprenne pourquoi.

— Je me sens très bien à Brisbane, répondit-elle.

— La simplicité de la campagne ne vous manque pas ? Les grands espaces, l'air pur, le silence ?

— Pas vraiment, non, répliqua Annie avec un sourire. En revanche mon chien me manque, oui. Mais je me console avec Basilic, le dalmatien de Theo.

Claudia leva un sourcil hautain.

— Basilic est adorable, n'est-ce pas ? répondit-elle d'un ton cassant qui démentait la gentillesse du propos.

Annie vit alors Claudia jeter un regard hostile à Theo. Et elle comprit : Theo était certainement sorti avec cette femme. Avaient-ils été amants ? La question la brûla comme un fer chauffé à blanc.

7.

Theo en avait assez. Tout ce monde qui se pressait autour d'Annie commençait à l'agacer, il avait envie d'être seul avec elle. Car depuis qu'il l'avait embrassée, une seule pensée le hantait : l'embrasser de nouveau !

Ce soir, dans sa robe fascinante et sensuelle, elle le rendait fou : il rêvait de la toucher, la serrer, goûter sa peau, s'enivrer de son odeur…

Enfin, les conversations cessèrent comme le Pr Gilmore, monté sur une petite estrade à côté des musiciens, demandait l'attention générale. L'occasion était trop belle : Theo prit la main d'Annie et l'entraîna vers la sortie.

— C'est la partie assommante de la soirée, expliqua-t-il à voix basse. Discours, communications, bref, vous allez encore plus vous ennuyer.

— Je ne m'ennuie pas du tout. Vos amis sont charmants.

« Enfin… presque tous », pensa-t-elle.

— Vous leur avez beaucoup plus, murmura Theo, mais filons, voulez-vous ?

Annie leva vers lui de grands yeux étonnés.

— Déjà ?

— Oui, nous n'avons pas de raison de nous éterniser. Profitons que personne ne nous remarque.

Sans lâcher sa main, il sortit dans le couloir, l'entraînant à sa suite.

— Où allons-nous ? demanda-t-elle.

— Chez moi. Si cela vous convient, ajouta-t-il très vite en la voyant s'empourprer.

— Oui, bien sûr, répondit-elle vivement.

Tandis qu'ils traversaient le campus universitaire pour rejoindre le parking, Theo dut prendre sur lui pour se comporter en gentleman. S'il n'avait tenu qu'à lui, il aurait attiré la jeune femme dans un coin sombre et l'aurait embrassée à en perdre la tête ! Que lui arrivait-il ? Voilà des années qu'il n'avait pas été dans cet état…

C'était d'autant plus mal venu qu'Annie était très jeune. Malgré son enthousiasme et son franc-parler, elle faisait preuve par moments d'une innocence qui le désarmait. Quelle expérience avait-elle des hommes ? Theo n'en savait rien, mais il sentait en elle une grande vulnérabilité. Il ne fallait surtout pas la brusquer.

Ce soir, il prendrait son temps. Il lui ferait l'amour lentement, tendrement, et saurait contrôler son désir le temps qu'il faudrait… Elle le méritait.

Annie éprouvait une telle émotion qu'elle avait du mal à respirer. Rien n'avait été dit, mais elle savait pourquoi Theo avait voulu quitter la réception si vite. Depuis la veille, l'attirance physique qu'ils éprouvaient l'un pour l'autre n'avait fait que croître, au point qu'à présent l'atmosphère entre eux était électrique.

Arrivé à la voiture, Theo lui ouvrit la portière. Trop

tendue pour lever les yeux sur lui, elle se contenta de glisser sur le siège, et quand son épaule nue effleura la veste de son costume, une vague brûlante la parcourut tout entière.

Ce feu intérieur continua à flamber tout le long du trajet, tandis qu'une pensée unique s'emparait d'elle et lui donnait le vertige : Theo la ramenait chez lui pour lui faire l'amour !

Elle avait une conscience aiguë de son corps tout près du sien. Elle fixait ses mains posées sur le volant. De belles mains, puissantes, assurées, capables… Et de nouveau elle eut du mal à respirer. Se calant contre le dossier de son siège, Annie ferma les yeux.

C'était une erreur… Les yeux fermés stimulaient son imagination, et elle voyait les mains de Theo qui la caressaient, parcourant tout son corps, s'arrêtant là où… Une nouvelle vague brûlante la terrassa.

Rouvrant les yeux, elle voulut s'intéresser au paysage qui défilait à toute vitesse : les enseignes au néon, les feux de circulation passant du rouge au vert, la lumière orangée venant des fenêtres des immeubles… En approchant du centre-ville, ceux-ci se faisaient de plus en plus hauts de sorte qu'elle ne pouvait plus voir ni le ciel, ni la lune. Mais quelle importance : Theo la ramenait à la maison…

Ah, si seulement elle n'était pas aussi nerveuse ! Et lui, se rendrait-il compte qu'elle n'avait plus couché avec un homme depuis des lustres ? N'aimait-il que les femmes très expérimentées, comme cette Claudia ?

— Je m'attendais à ce que vous me bombardiez de questions, dit Theo, rompant le silence.

— Je suis en panne, ce soir, avoua Annie.

C'était vrai, son émoi était tel qu'elle ne trouvait rien à dire. Le silence s'installa de nouveau dans l'habitacle.

Quand ils arrivèrent à la maison, Basilic, fou de joie de les retrouver, leur fit la fête. Puis ils passèrent dans la cuisine où le silence se fit de nouveau.

Pour dissimuler sa nervosité, Annie demanda précipitamment :

— Vous avez faim ?

— Faim ? s'étonna Theo.

— Mes frères sont affamés quand ils rentrent d'une soirée. Ils se plaignent toujours qu'il n'y avait pas assez à manger.

Il paraissait un peu surpris.

— Eh bien, mangeons quelque chose si vous voulez, dit-il.

— Je vous prépare des œufs brouillés ?

— Euh... Pourquoi pas ?

Sans le regarder, Annie sortit les œufs et le lait, puis un saladier. Elle s'apprêtait à casser le premier œuf quand il s'approcha d'elle pour demander d'une voix rauque :

— Vous avez vraiment faim, Annie ?

Elle faillit écraser l'œuf qu'elle tenait, tant sa main s'était crispée. Elle se retourna vivement.

— Non... euh... oui... En fait, je pensais que..., bredouilla-t-elle.

Alors avec un sourire séducteur, Theo fit observer :

— Pourquoi préparer des œufs brouillés quand ni l'un ni l'autre, nous n'en avons envie ?

— Je... je me disais que peut-être...

Il posa les doigts sur sa bouche pour la faire taire, et

Annie sentit son cœur battre si fort qu'elle eut peur qu'il ne l'entende.

— Oublions le dîner, voulez-vous ?

Elle hocha la tête tandis qu'il la prenait par les épaules.

— Cette histoire d'attirance entre nous n'est pas près de passer, j'en ai peur, murmura-t-il avec un sourire irrésistible. Pas en ce qui me concerne, en tout cas.

— Pour moi non plus, balbutia encore Annie.

Il suivit des doigts les fines bretelles de sa robe.

— Toute la soirée, vous m'avez fascinée dans cette robe à la sensualité invraisemblable, dit-il.

— C'est ce que j'espérais quand je l'ai achetée, avoua-t-elle, tout en s'en voulant aussitôt de sa franchise ridicule.

— Parce que vous aviez prévu de me séduire ? demanda-t-il avec une lueur malicieuse dans le regard.

— Euh... enfin... L'idée me plaisait plutôt.

De nouveau il sourit, et Annie sentit son cœur s'emballer.

— Vous avez de très bonnes idées, Annie McKinnon.

Il prit son visage entre ses mains et l'embrassa avec douceur, si lentement qu'Annie crut qu'elle allait s'évanouir.

— Cette histoire d'attirance, articula-t-il tout contre sa bouche, il va falloir qu'on y fasse quelque chose, non ?

— Euh... oui, je crois...

Annie tremblait de tous ses membres et elle redoutait que ses jambes ne se dérobent sous elle. Mais déjà, Theo la soulevait dans ses bras.

— Je suis trop lourde ! tenta-t-elle de protester.

Apparemment sans effort, Theo la transporta ainsi jusque dans sa chambre. Après l'avoir déposée sur le lit, il s'allongea à côté d'elle pour l'embrasser de nouveau. Elle ferma les yeux tandis qu'il jouait délicieusement avec sa bouche, sans hâte, comme s'il avait la vie devant lui, et nul autre projet que de l'embrasser et l'embrasser encore. Très vite elle s'abandonna au plaisir fabuleux que lui donnait cette bouche sensuelle, à cette langue qui cherchait la sienne avec avidité.

— J'adore ta bouche, chuchota-t-il comme il s'écartait un instant pour reprendre son souffle.

— Et moi, j'aime quand tu m'embrasses, souffla Annie, reprenant spontanément le tutoiement qu'il avait utilisé.

Il recommença à l'embrasser en la caressant. Sous la chaleur de ses mains, Annie se sentit fondre. Pourquoi avait-elle été si nerveuse ? Theo savait exactement ce qu'elle aimait, et le lui donnait. Il était fait pour elle !

Elle eut le souffle court en sentant sa main s'insinuer entre ses cuisses pour la caresser doucement. Le désir brûlant se répandit alors au creux de ses reins. Et brusquement elle eut envie d'être nue pour qu'il la caresse plus intimement encore.

— Il faut que j'enlève cette robe, articula-t-elle, haletante.

Theo eut un petit rire étonné comme elle se redressait.

— Tu peux t'occuper de la fermeture Eclair ?

Elle se tortilla frénétiquement pour se débarrasser plus vite du vêtement.

— Attention ! Tu ne vas pas saccager cette belle robe ! Ce serait trop dommage.

Elle leva les bras.

— Tu peux m'aider ?

Theo s'exécuta et elle l'observa, tremblante de désir,

tandis qu'il allait déposer sa robe avec précaution sur le dossier d'une chaise. Après quoi il entreprit de se déshabiller à son tour, laissant tomber ses vêtements sur le sol sans précaution, cette fois.

Annie, quant à elle, le regardait, comme hypnotisée. Il était exactement l'homme dont elle avait toujours rêvé ! Et elle mourait d'envie de le sentir en elle. Tout son corps le réclamait, hurlait du désir d'être possédé par lui.

Il retourna auprès d'elle et reprit ses lèvres, tandis que ses mains fiévreuses caressaient sa gorge, puis ses seins, et descendaient le long de ses hanches.

Il lui semblait avoir perdu le sens du réel. Elle aussi découvrait avec ses mains le corps de cet homme qu'elle désirait et qui lui procurait tant de plaisir. Chaque baiser, chaque caresse nouvelle décuplaient leurs passion. Au creux de son ventre, Annie sentait maintenant un désir presque douloureux, à la fois sauvage et lancinant, qui montait, et croissait, qui allait bientôt l'engloutir.

Bientôt le rythme de leurs deux corps changea pour devenir plus rapide. Quand Theo la pénétra enfin, Annie poussa un cri de volupté. Très vite, tous deux se laissèrent emporter par ce plaisir que leurs corps réclamaient après l'avoir si longtemps attendu.

8.

Le lendemain matin, Basilic n'eut pas droit à sa promenade matinale…

Annie et Theo s'octroyèrent une voluptueuse grasse matinée, et descendirent dans la cuisine à plus de 10 heures.

Ils prirent le petit déjeuner dans le patio, sous le soleil déjà chaud. Ils se volaient des baisers rapides, se prenaient la main en se regardant dans les yeux… Annie était si heureuse qu'elle en était émerveillée.

— Comment dit-on « bonheur » en italien ? demanda Annie.

— *Felicita.*

— Ça me plaît… L'italien sonne toujours si joliment.

La nuit précédente et ce matin encore, ils avaient fait l'amour passionnément, pendant de longues heures. Et Annie aurait pu continuer toute la journée… Mais Theo finit par annoncer qu'il devait retourner travailler.

— J'irai promener Basilic, proposa-t-elle. Après ce petit déjeuner tardif, il faut que je m'ouvre l'appétit : j'ai rendez-vous avec Melissa pour déjeuner.

Ils s'embrassèrent longuement avant de se séparer.

*
* *

Melissa regarda Annie et écarquilla de grands yeux.

— Oh non ! Ça y est, n'est-ce pas ?

— Comment ça ?

Annie se reprit rapidement. Non, il n'était pas possible que le monde entier sache, rien qu'en la regardant, ce qu'elle avait fait toute la nuit. N'empêche que l'air entendu de son amie la faisait rougir.

— Tu es tombée amoureuse ? dit celle-ci.

— Ça se voit tant que ça ?

— Et comment ! Tu as un regard tellement brillant qu'on ne s'y trompe pas.

Pourquoi nier ? Annie acquiesça d'un geste de la tête.

— Et la suite ? demanda aussitôt Melissa.

— Quelle suite ?

— Eh bien, Theo ! Il est touché par la grâce, lui aussi ?

— On le dirait... Enfin... Il me semble que oui, bredouilla-t-elle.

— Dans ce cas, bravo ! Inscrire le Pr Theo Grainger à son tableau de chasse est un bel exploit.

Annie prit une inspiration. De quoi parlait Melissa ? De quel tableau de chasse et de quel exploit ? Ce n'étaient pas les mots qui lui venaient à l'esprit quand elle pensait à sa nuit sublime avec Theo. Pour éviter de répondre, elle fit mine d'étudier la carte.

— Tu prends seulement une salade ? finit-elle par demander.

— J'en ai peur, oui. Je me mets au régime. Au boulot, un gars m'a invitée à une soirée, le mois prochain. Si je veux porter une robe extra-moulante, il faut que je perde deux kilos.

— Un garçon de ton travail ?

Au grand soulagement d'Annie, Melissa fut ravie de lui parler de Bill Brown, grand et mince, la trentaine et des poussières, qui travaillait aux ressources humaines. Puis elle raconta les dernières frasques de Victoria au bureau.

Mais au moment du café, Melissa revint à la charge.

— Comment envisages-tu la suite des événements ? Tu rentres à Southern Cross la semaine prochaine ou tu t'installes chez Theo ?

— Si tout se passe bien, je ne retournerai pas à Southern Cross, déclara Annie.

Et elle éprouva un véritable choc en constatant combien sa décision lui avait été facile à prendre.

Les jours suivants furent empreints de magie. D'abord le week-end : deux jours entiers de tête-à-tête et de promenades avec Theo.

— Ton enthousiasme est vivifiant, disait-il à Annie. J'adore redécouvrir ma ville à travers tes yeux.

A partir du lundi, Theo retourna travailler à l'université. Annie profitait de son temps libre pour sortir davantage Basilic, bricoler dans la maison. Elle visitait des galeries, des musées. Le soir, elle racontait sa journée à Theo. Elle ne se lassait pas de parler avec lui. Ensemble, ils discutaient de tout, et elle adorait son intelligence autant qu'elle aimait son corps.

Le plus étonnant pour elle, c'était que Theo semblait curieux de tout ce qui la concernait. Jamais elle n'avait rencontré quelqu'un qui soit aussi intéressé par ce qu'elle pensait et ressentait. Il lui posait des questions sur son passé, sur ses sentiments, sur ses rêves d'avenir. Elle en était touchée, et secrètement flattée, aussi.

— Raconte-moi Southern Cross, lui demanda-t-il un soir qu'ils étaient étendus dans la pâle clarté de la lune, après avoir fait l'amour.

— Il y a une rivière, là-bas, murmura Annie. Je vais toujours m'y réfugier quand je suis triste.

— Décris-la, je voudrais me la représenter. Ferme les yeux, et transporte-toi là-bas par la pensée. Je veux y être avec toi.

Et Annie parla des berges couvertes d'herbe, de l'eau si claire, si transparente qu'on pouvait compter les cailloux, au fond. Les libellules qui tournoyaient au-dessus de la surface et parfois l'effleuraient. Les renoncules qui embaumaient au printemps. Les nénuphars dans les trous d'eau et les saules dont les branches se penchaient au-dessus de l'onde comme pour s'y abreuver. Les eucalyptus qui dressaient leurs frondaisons vers le ciel, et où nichaient des myriades d'oiseaux chanteurs…

Quand elle se tut, Theo déposa un minuscule baiser au coin de sa bouche.

— Es-tu sûre que le bush ne te manque pas ? demanda-t-il.

Annie ne voyait pas son visage, mais elle crut percevoir une tension dans sa voix.

— J'en suis certaine, Theo. J'adore le bush, ce sera toujours mon pays, et j'aurai plaisir à y retourner de temps en temps. Mais contrairement à mes frères, je ne me sens pas appartenir à Southern Cross. Dernièrement, j'avais même l'impression d'être prisonnière là-bas, et j'avais besoin de m'échapper. Damien n'a été qu'un prétexte. Je rêvais de vivre en ville.

La réponse parut le satisfaire, et Annie, roulant sur le ventre, s'appuya sur un coude pour mieux le regarder.

— A toi de me parler. Raconte-moi l'Italie.

Il sourit.

— Je veux d'abord un baiser.

Annie s'exécuta avec bonheur, puis Theo prit la parole.

— Je vais te décrire la vue de mon appartement quand j'étais étudiant à Rome. Il était situé dans le Trastevere, un vieux quartier de la ville, peuplé d'artistes venus de tous les coins du monde. Un peu comme Greenwich Village, à New York.

— Ce doit être merveilleux. Alors, que vois-tu de la fenêtre ?

Theo la prit dans ses bras et la serra contre lui, puis il commença son récit de cette voix mélodieuse et si vivante qu'elle aimait tant.

— Il est très tôt, et je viens d'ouvrir les persiennes. La lumière est encore douce, et je distingue au loin les contours adoucis d'une colline, avec quelques beaux pins parasols découpés sur le ciel.

Un frisson de plaisir parcourut Annie : il lui semblait être là-bas avec lui.

— Tu vois d'autres maisons autour de la tienne ?

— Beaucoup, oui, souvent d'anciens palais peints dans des tons chauds, ocres et jaunes, avec des toits en tuiles anciennes… J'aperçois aussi des clochers et des dômes, et quelque part, les ruines d'un temple romain. Si je baisse les yeux, je voix la tente rayée de la pizzeria au rez-de-chaussée de ma maison.

— Et les gens ?

— Il y a un vieillard assis sur la margelle d'une fontaine, et un homme qui déploie des parasols à la terrasse d'un café. Un autre est occupé à ouvrir son kiosque à journaux.

— Pas de femmes ? fit mine de s'étonner Annie. Elles sont encore couchées ?

Theo se mit à rire.

— Mais non ! J'entrevois ma voisine qui arrose ses géraniums sur son minuscule balcon. Et voilà qu'une bonne odeur de café monte pour me chatouiller les narines.

— Oh, Theo, soupira Annie avec un sourire de béatitude, comme j'aimerais connaître Rome.

— Je t'y emmènerai un jour.

Elle se redressa d'un bond, incrédule.

— C'est vrai ?

— Oui, je te le promets.

Annie profitait souvent de ses promenades avec Basilic pour explorer le quartier. Entre les immeubles d'habitations modernes subsistaient d'anciennes petites maisons individuelles charmantes, pour la plupart habitées par des gens âgés qu'elle voyait s'occuper avec amour de leurs jardinets et qui lui souriaient amicalement quand elle passait. Comme à Mirrabrook…

C'est ainsi qu'elle fit la connaissance de George, un homme d'un certain âge qui prenait le soleil devant chez lui. Un jour qu'elle s'aventurait dans sa rue, il lui lança un bonjour chaleureux. Basilic se mit alors à aboyer, tirant comme un fou sur sa laisse en agitant la queue.

— Hello, mon vieux Basilic, dit l'homme en approchant du portillon qu'il ouvrit avant de caresser le chien.

— Vous vous connaissez donc ? s'étonna Annie.

— Et comment, s'exclama l'inconnu. Je suis son grand-père, en quelque sorte.

Et comme elle le regardait sans comprendre, il expliqua :

— Je suis George Grainger, le père de Theo.

— Ça alors !

Annie le dévisagea, abasourdie. Pas un instant elle n'avait imaginé que le père de Theo habitait dans la même ville.

— Alors c'est vous ? dit-elle.

— Et oui. Et vous, vous êtes Annie, j'imagine ?

— On vous a donc parlé de moi ?

— Evidemment ! Damien d'abord. Puis Theo. Je suis très heureux de vous connaître.

Bien qu'un peu plus petit que son fils et son petit-fils, George Grainger leur ressemblait malgré la différence d'âge. Et surtout, derrière ses lunettes, ses yeux noisette étaient aussi vifs que ceux de Theo. Il semblait à la fois curieux et enchanté de rencontrer Annie, qui demanda tout de suite des nouvelles de Damien.

— Il se porte comme un charme. Ce matin, il est parti travailler. Mais entrez donc, Annie, et bavardons si vous avez un peu de temps.

Basilic tirait toujours sur sa laisse afin d'attirer Annie dans le jardin. Celle-ci dit en riant :

— On dirait que le chien ne me laisse pas le choix.

— C'est qu'on est amis tous les deux : Theo me le laisse quand il s'absente.

En parlant, George l'entraîna derrière la maison où elle découvrit un magnifique potager.

— C'est splendide ! s'extasia-t-elle devant les lignes

de laitues et de carottes, les plants de tomates soigneusement tuteurés.

George eut un sourire modeste.

— Je fais de mon mieux. Le jardinage me maintient en forme. Savez-vous que Theo a vécu ici quand il était enfant ?

— Je l'ignorais. Il a donc toujours habité le quartier ?

— Hormis ses années d'études à l'étranger, oui. Il a acheté sa maison près d'ici quand sa mère est tombée malade, afin de rester proche de nous. Hélas, elle est morte voilà quatre ans. Theo est un bon fils, savez-vous ?

Annie ne répondit pas, essayant d'imaginer Theo enfant, avec sa sœur, son père et sa mère, dans la petite maison qui se dressait au milieu du jardin. Et brusquement elle fut embarrassée. Que pensait un homme de la génération de George Grainger d'une jeune femme qui s'installait chez son fils — *couchait* avec lui — alors qu'elle le connaissait depuis si peu de temps ?

— Vous vous demandez sans doute pourquoi Damien n'habite plus chez son oncle ? finit-elle par demander.

— Theo m'a expliqué. Sa version des faits diffère évidemment de celle de mon petit-fils, ajouta-t-il avec un sourire. Mais dites-moi, si je vous offrais à boire ?

— Je ne veux pas vous importuner.

— Pas du tout. Entrons et laissons Basilic dehors. Il adore se prélasser au soleil.

Dans la cuisine, le vieil homme sortit du réfrigérateur un pichet de citronnade qu'il avait préparée lui-même, et en servit deux verres. Puis il invita la jeune femme à s'asseoir. Les pensées d'Annie recommençaient à vagabonder : Theo, petit garçon, prenant son petit déjeuner à la jolie table verte, puis sortant jouer au ballon dans le jardin, rentrant sans avoir pris soin de s'essuyer les pieds au paillasson... Theo lisant dans sa petite chambre...

Elle but une gorgée de citronnade.

— C'est délicieux, monsieur Grainger, déclara-t-elle.

— Appelez-moi George, dit-il avec un sourire.

Puis il se mit à lui poser des questions sur sa famille et sa vie.

Dix minutes plus tard, Annie lui avait à peu près tout raconté de Southern Cross, de ses frères, de la mort de son père, et du retour de sa mère en Ecosse. Elle lui avait même parlé de sa solitude et de sa rencontre avec Damien sur Internet.

— Votre mère doit vous manquer, soupira le vieil homme lorsqu'elle se tut.

Annie hocha la tête, en essayant d'ignorer le petit pincement au cœur qu'elle éprouvait chaque fois qu'elle pensait que sa mère avait l'air de se sentir très bien en Europe... Sans elle.

Elle prit congé peu après, car elle avait promis à Melissa de déjeuner avec elle. George la raccompagna jusqu'au portillon.

— Il faudra revenir me voir, Annie, déclara-t-il.

— Ce sera avec plaisir.

Avant qu'ils ne se séparent, il dit encore, très simplement :

— Vous êtes celle que j'attendais pour Theo, Annie.

Elle s'empourpra aussitôt.

— Je ne sais que répondre, George...

— Ne m'en voulez pas, je ne suis qu'un vieux gâteux qui s'occupe de ce qui ne le regarde pas. Et n'ayez crainte, je ne dirai rien de semblable à mon fils. Revenez vite.

*
* *

Theo rentrait à la maison, heureux à l'idée de retrouver Annie. Il lui avait acheté un joli bouquet de fleurs, et s'était arrêté chez le traiteur thaïlandais pour y prendre de quoi dîner ce soir. La voiture embaumait la citronnelle et les épices orientales.

Dans l'après-midi, il avait prévenu Annie de ne pas cuisiner, qu'il se chargeait de tout. Il avait pensé un instant l'emmener au restaurant, mais il avait trop envie d'être seul avec elle. Chez eux. Seuls tous les deux. Toute la soirée et toute la nuit.

Annie... Il ne se lassait pas de son enthousiasme, de sa spontanéité, de sa simplicité. Elle le rendait... heureux ! D'ailleurs aujourd'hui, il s'était surpris à siffloter dans la salle des professeurs ! Les collègues présents s'étaient même moqués de lui. Il allait falloir qu'il la présente à son père, un de ces jours. Il était sûr que tous deux s'entendraient bien.

Il sourit en bifurquant dans sa rue. Mais son sourire se figea presque aussitôt : une voiture vert foncé était stationnée devant chez lui. Celle de Claudia !

Que diable faisait-elle là ? Theo devina d'emblée qu'il s'agissait d'un mauvais présage. Claudia était-elle là depuis longtemps ? Et Annie, comment s'accommodait-elle de cette visite ?

Certain que Claudia allait se moquer de lui en le voyant, il faillit laisser le bouquet dans la voiture. Mais non, elle dirait et penserait ce qu'elle voudrait, il s'en moquait.

Les deux femmes étaient installées dans le patio. En le voyant approcher, Claudia se mit à rire comme il s'y attendait.

— Quel homme attentionné tu fais avec ce bouquet ! C'est bien la première fois que je te vois offrir des fleurs !

— Bonsoir, Claudia, déclara-t-il froidement.

Il se tourna vers Annie en souriant.

— Comment va, ce soir ? Ton déjeuner s'est bien passé ?

— Mon déjeuner était très agréable, répondit Annie. Que ces pivoines sont belles, Theo !

— Je vais poser mes paquets dans la cuisine et je vous rejoins, déclara-t-il.

Claudia se leva d'un bond.

— Je t'accompagne. Il faut que nous parlions. Un problème de travail. Je n'ai pas de très bonnes nouvelles pour toi.

Theo sentit sa méfiance s'accroître. Avec Claudia, il devait s'attendre au pire ! Conservant un calme apparent, il se contenta de froncer les sourcils.

— Pourquoi ne pas m'en avoir parlé à l'université, cet après-midi ?

— J'ai eu des réunions toute la journée. Quand j'en suis enfin sortie, je ne t'ai pas trouvée. Alors, je me suis précipitée chez toi. Je ne voulais surtout pas que tu apprennes ça par quelqu'un d'autre. Nous sommes trop amis, toi et moi.

— Dis-moi ce dont il s'agit au lieu de faire tous ces mystères !

Claudia lança un regard entendu en direction d'Annie.

— Je préfère t'en parler en privé, affirma-t-elle.

— Dans ce cas, allons dans mon bureau.

Theo, qui faisait un gros effort pour conserver son calme, se tourna vers Annie.

— Tu veux bien nous excuser ?

*
* *

La mort dans l'âme, Annie alla dans la cuisine mettre les fleurs dans un vase. Elle se sentait mal à l'aide. Pourtant les pivoines apportées par Theo étaient sublimes, et elles convenaient à merveille à l'atmosphère du salon. Mais Annie n'avait pas le cœur de s'en réjouir.

Les voix étouffées qui lui parvenaient du bureau lui semblaient chargées de menace. Pour une obscure raison, elle était sûre que les mauvaises nouvelles qu'apportait Claudia étaient en rapport avec elle. D'une manière ou d'une autre.

Avant l'arrivée de Theo, elle avait passé une interminable demi-heure en tête à tête avec Claudia. Une demiheure de supplice. Après avoir feint de s'intéresser à la vie d'Annie dans le bush, Claudia n'avait guère caché son mépris pour tout ce qui n'était pas l'université. Dans des termes soigneusement choisis pour être blessants, elle avait fait comprendre à Annie qu'elle se demandait comment un homme aussi fin, cultivé, intelligent que Theo s'était laissé séduire par une petite provinciale.

Dans le bureau, les voix se turent soudain. Annie regagna en hâte la cuisine pour qu'ils n'imaginent pas qu'elle essayait de surprendre leur conversation.

Basilic était étendu devant la porte du patio. Elle s'accroupit à côté de lui pour le serrer sur son cœur.

— Si seulement tu pouvais parler, mon chien ! murmura-t-elle à son oreille. Tu me dirais ce que tu sais de cette Claudia. Elle est amoureuse de Theo, tu crois ? Il a couché avec elle ?

En guise de réponse, Basilic appuya sa truffe contre sa joue.

— Tu me comprends, toi, murmura Annie.

— Vous vous entendez bien avec Basilic, dirait-on ?

La voix de Claudia fit sursauter Annie. Elle se leva et porta un rapide regard vers le couloir, espérant voir surgir Theo.

— Votre conversation est terminée ? demanda-t-elle.

— Oui.

Claudia cherchait ses clés de voiture dans son sac.

— Vous devriez aller consoler le pauvre Theo, ajouta-t-elle.

— Pourquoi ? Qu'est-il arrivé ?

— Je dois me séparer de lui.

— Vous séparer ? Que voulez-vous dire ? demanda Annie, affolée.

— Theo n'est pas titulaire de son poste à l'université, expliqua Claudia avec une patience agacée. Son contrat devait être renouvelé à la fin de cette année. Mais le budget de notre département a subi des coupes sombres, de sorte que je ne peux plus le faire.

Annie ouvrit de grands yeux.

— Vous voulez dire qu'il n'a plus de travail ?

— Croyez-moi, Annie, mes confrères et moi sommes désolés de ne pouvoir le garder avec nous. Et j'imagine votre déception. Vous avez fait tant d'efforts pour vous intégrer, l'autre soir, à cette réception. Vous vous êtes donné beaucoup de mal pour rien.

Annie était tellement anéantie que son esprit refusait de fonctionner. Mais Claudia n'en avait pas fini. Après l'avoir regardée pensivement, elle finit par déclarer à mi-voix :

— Je vous le répète, je suis désolée d'avoir dû prendre

cette décision. Et j'espère que Theo ne vous le reprochera jamais.

Cette fois Annie réagit.

— Que devrait-il me reprocher ? demanda-t-elle vivement. Quelque chose m'échappe ! Que cherchez-vous à me dire ?

Claudia poussa un soupir.

— Vous ne voyez pas le problème, n'est-ce pas ?

Annie l'aurait volontiers giflée.

— Je le verrais peut-être si vous me mettiez sur la voie.

La jeune femme soupira de nouveau.

— Je comprends, c'est difficile d'admettre que nous sommes un fardeau ou une entrave pour les gens qui nous sont chers.

— Une entrave ? répéta Annie qui tenait à peine sur ses jambes. Etes-vous en train de me dire que Theo a perdu son poste à cause de moi ?

Une très brève lueur de triomphe scintilla dans les yeux de Claudia : enfin, son message était passé !

— Comment serais-je une entrave pour la carrière de Theo ? Nous nous connaissons depuis une semaine seulement ! s'exclama Annie.

Claudia ne répondit pas. Sans un mot, elle se dirigea vers la porte et sortit.

Une fois seule, Annie essaya de se ressaisir. Cette histoire n'avait aucun sens ! Comment aurait-elle pu nuire à la carrière de Theo en si peu de temps ?

Elle se remémora le cocktail à l'université. Certes, sa robe avait attiré l'attention de tous. Bien sûr, Theo lui avait embrassé la main devant tout le monde. Et ils s'étaient éclipsés bien avant la fin...

Oui, les invités avaient dû jaser. Mais au XXIe siècle, rien de tout ça ne pouvait causer un scandale ! Sauf si…

A la soirée, Annie s'était demandé si Claudia et Theo étaient sortis ensemble. Maintenant elle en était sûre.

Et elle était aussi certaine que Claudia tenait encore à lui.

9.

La mort dans l'âme, Annie alla rejoindre Theo dans son bureau. Elle s'arrêta sur le seuil de la porte. Assis à sa table, il s'était pris le visage dans les mains. Elle ne voyait que ses beaux cheveux sombres.

En d'autres circonstances, elle se serait précipitée pour le prendre dans ses bras et le réconforter, mais Claudia avait sapé sa confiance en elle.

Theo allait perdre son travail à cause d'elle ? Elle n'arrivait pas à le croire, et n'avait qu'une envie : éclater en sanglots. C'était pourtant la dernière chose à faire : Theo avait assez de soucis comme ça pour devoir en plus la consoler. Et puis, il fallait qu'il lui donne sa propre version des faits.

Il avait dû sentir sa présence, car il releva la tête.

— Je ne t'avais pas entendue, dit-il.

Annie s'avança.

— Theo, je suis consternée.

— Claudia t'a parlé ?

— Oui. C'est affreux.

Theo poussa un soupir.

— J'avoue que je suis encore sous le choc.

Puis, ébauchant un pâle sourire, il ajouta :

— Viens plus près.

Annie vint s'appuyer sur le bord du bureau et elle caressa la joue de Theo. Le regard troublé de celui-ci indiquait qu'il était touché plus durement qu'il ne voulait le montrer.

— C'est incompréhensible, s'exclama Annie, le cœur serré. Comment des universitaires peuvent-ils agir ainsi ?

— Ils le peuvent, apparemment, et avec beaucoup de facilité.

— On a donc le droit de licencier quelqu'un comme ça, sans préavis ? C'est lamentable.

Theo haussa les épaules.

— Il n'est pas illégal que les choses se passent aussi brutalement.

— C'est peut-être légal, mais c'est ignoble. Pourquoi est-ce Claudia qui t'a annoncé la nouvelle ?

— Parce qu'elle est le patron du département.

— Claudia ? Elle est ta supérieure ? s'exclama-t-elle.

— C'est une personne très intelligente, et une universitaire hautement qualifiée, précisa-t-il.

Annie fronça les sourcils.

— Possible. N'empêche que la façon dont elle agit est indigne.

— Elle saurait sûrement prouver le contraire, s'il le fallait. Allons, reprit Theo en secouant la tête, perdre son job n'est pas la fin du monde. Je m'en remettrai.

Elle hésita avant de poser la question qui lui brûlait les lèvres.

— Dis-moi, Claudia est-elle amoureuse de toi ?

Theo sursauta imperceptiblement et détourna les yeux.

— Non.

— Etes-vous sortis ensemble ?

Il sembla hésiter avant de répondre.

— Oui, mais c'est de l'histoire ancienne. Tout est fini entre nous depuis deux ans.

— Fini pour toi, mais pas pour elle, affirma Annie. Si tu veux mon avis, elle tient encore à toi, et cela ne m'étonnerait pas qu'elle ait agi par jalousie.

Il fronça les sourcils

— Allons ! Claudia ne s'abaisserait pas à utiliser de telles méthodes !

— Je suis désolée, Theo. Claudia a peut-être un parcours universitaire exceptionnel, mais dans sa vie privée, elle n'est pas plus philosophe que moi !

— Qu'est-ce qui t'autorise à parler ainsi ? protesta-t-il.

— Si elle était objective, elle ne se priverait pas d'un de ses meilleurs assistants, s'exclama-t-elle.

— Tu ne sais rien de ma façon de travailler, voyons !

— Si ! J'ai entendu tes collègues chanter tes louanges, l'autre soir, au cocktail. Je sais que tu es un remarquable enseignant. Le fait qu'on ne renouvelle pas ton contrat n'a rien à voir avec tes qualités professionnelles !

Sentant sa gorge se nouer, Annie ravala un sanglot avant de s'écrier :

— C'est moi, ton vrai problème. C'est à cause de moi que tu as tous ces ennuis !

— Tu es folle ! Bien sûr que non.

Theo avait l'air sincèrement surpris. *Donc Claudia ne lui avait rien dit, à lui* !

— J'ai bien peur d'être plutôt lucide, soupira Annie en se redressant.

Elle tourna le dos à Theo tant elle avait peur de ne pas pouvoir retenir ses larmes.

— Si je te quittais, tu retrouverais ton poste aussitôt.

Theo s'était levé. Il posa les mains sur ses épaules.

— Les choses ne fonctionnent pas ainsi, murmura-t-il.

Puis il l'attira contre lui.

— Je ne veux pas que tu me quittes, dit-il encore avant de l'embrasser dans la nuque. Tu n'y es pour rien.

Mais Annie savait bien que si. *Tout* était de sa faute ! Theo avait perdu son travail à cause d'elle. Pourtant, quand il la fit pivoter dans ses bras pour couvrir son visage de baisers, elle fut incapable de lui résister.

— Je te veux près de moi, Annie.

Quand il prit sa bouche, elle sut qu'elle était perdue…

Elle réfléchirait plus tard à ce qu'il convenait de faire pour que Theo retrouve son emploi. Mais pas maintenant, pas quand il l'embrassait avec une passion qui anéantissait en elle toute pensée logique… Pas quand ses mains et sa bouche ne lui laissaient d'autre choix que de s'abandonner à la volupté…

Il lui enleva son T-shirt. Les lèvres de Theo traçaient des sillons brûlants sur sa poitrine…

Pour l'instant, passé et futur n'existaient plus. Seuls comptaient le présent et les sensations incroyables que leurs corps ressentaient.

Plus tard dans la soirée, Theo refusait toujours d'admettre qu'on l'avait licencié à cause d'Annie. Et parce qu'elle ne pouvait concevoir de se disputer avec lui, elle abandonna le sujet. Provisoirement.

— Que vas-tu faire ? demanda-t-elle plus tard en remplissant le lave-vaisselle.

— Je n'ai pas le choix. Chercher un autre poste.

— Tu penses pouvoir le trouver à Brisbane ?

— C'est peu probable.

— Mais si tu dois aller ailleurs, qu'adviendra-t-il de Damien ? Et de George ? Il va être très triste.

Theo la regarda, stupéfait.

— George ?

— Ton père, bien sûr, ce charmant vieux monsieur qui vit à deux rues d'ici.

— Mais comment le connais-tu ? s'exclama-t-il.

Annie sourit.

— Je l'ai rencontré par hasard ce matin en promenant Basilic. Et je peux t'assurer que nous nous sommes bien entendus, tous les deux ! Deux inconditionnels de Theo Grainger font obligatoirement la paire.

Soudain, en pensant au déchirement qui l'attendait, le lendemain, elle frissonna.

— Que se passe-t-il ? lui demanda aussitôt Theo. Tu ne te sens pas bien ?

Elle réussit à sourire.

— J'aimerais tant que ce soit un mauvais rêve !

— Tout ira bien, tu verras, voulut-il la rassurer. Considérons que c'est un défi. L'occasion de réorienter ma carrière. Qui sait ce que l'avenir me réserve ?

Annie promena son regard autour d'elle : Theo tenait à cette maison. Puis elle pensa à Damien qui avait encore besoin de son oncle, et à George, si heureux que son fils vive si près de lui. Theo ne perdait pas seulement un travail... Et tout ça à cause d'elle !

C'était donc à elle de faire le nécessaire. Et elle le ferait !

10.

Annie s'était doutée que ce serait difficile, mais pas à ce point. Voilà trois fois qu'elle essayait de composer le numéro de Claudia, et qu'elle flanchait au dernier moment.

C'était pourtant la seule solution. Elle y avait réfléchi toute la nuit, partagée entre l'angoisse et le désespoir, pendant que Theo, l'homme qu'elle aimait de tout son cœur, dormait à côté d'elle, inconscient des affres qu'elle traversait.

Quand elle regardait la vérité en face, elle sentait son cœur se briser. C'était à cause d'elle que Theo avait tous ces ennuis. Elle ne l'avait pas fait exprès, mais si elle n'était pas tombée amoureuse de lui, si elle n'avait pas vécu avec lui, il aurait conservé son poste. Elle représentait donc une menace pour sa carrière.

« Courage, tu le fais pour Theo, pour son bonheur ! »

Pour la quatrième fois, elle décrocha le téléphone. « Mon Dieu, faites que je ne tombe pas sur un répondeur pour que tout soit à recommencer plus tard ! »

On décrocha à la première sonnerie.

— Claudia Stanhope.

Annie déglutit rapidement.

— Bonjour. Ici Annie McKinnon.

— Oh... Bonjour, Annie.

La voix était sèche, mais surprise.

— En quoi puis-je vous être utile ?

— Je pense que vous me comprendrez sans que j'aie besoin de mettre les points sur les i, rétorqua Annie avec une violence contenue. Je voulais vous informer que je rentre chez moi, à Southern Cross. Je me sépare de Theo.

Elle avait parlé très vite comme si les mots lui échappaient. A l'autre bout du fil, un long silence lui répondit.

— Pauvre Theo, murmura enfin Claudia. Mais pourquoi me le dire à moi, Annie ?

— Vous le savez très bien, et je ne m'abaisserai pas à vous l'expliquer. Vous êtes, paraît-il, une universitaire hautement qualifiée, vous devriez donc trouver la réponse.

Voilà, c'était fait ! Elle avait accompli ce qu'elle avait cru au-dessus de ses forces. Il ne lui restait plus qu'à rassembler ses affaires et partir. Dans quelques jours le contrat de Theo serait renouvelé, et il pourrait rester à Brisbane.

Mais elle n'y serait plus ! Elle ne le verrait plus jamais ! La réalité, monstrueuse, la frappa de plein fouet. Jamais elle ne supporterait la vie sans Theo. Elle allait mourir... Mourir de chagrin.

Il était trop tôt pour céder au désespoir. Annie avait encore ses valises à faire, après quoi elle devrait appeler un taxi... Soudain, un frottement contre la porte du patio attira son attention. C'était ce cher Basilic qui voulait rentrer. Elle se précipita pour lui ouvrir la porte et s'accroupit pour le serrer sur son cœur.

— Toi aussi, tu vas me manquer, mon chien. Promets-moi de veiller sur ton maître. Tu le feras, n'est-ce pas ?

Quand elle voulut se redresser après avoir étreint Basilic une dernière fois, elle s'aperçut que le ruban qui retenait ses cheveux s'était pris dans le collier du chien. Alors, sous le coup d'une impulsion, elle enfila la fine bande de soie jaune dans la goupille qui fermait le collier et la noua plusieurs fois.

— Ainsi tu ne m'oublieras pas, Basilic, déclara-t-elle.

C'était un geste d'adolescente, elle le savait, mais curieusement, il lui fit du bien. Et puis ce ruban jaune d'or était joli sur le pelage noir et blanc du dalmatien.

Et Annie, refoulant ses larmes, monta faire ses bagages.

— Annie est là ?

Theo posa la question dès que Melissa ouvrit la porte.

— Quelle surprise, Pr Grainger !

— Je cherche Annie, insista-t-il.

— Annie ? répéta la jeune femme.

Son air stupéfait dissipa les derniers espoirs de Theo. Apparemment, elle n'était pas au courant.

— Mais je la croyais chez vous, reprit-elle.

Il étouffa un juron.

— Elle est partie, et il faut absolument que je la retrouve.

Sans l'inviter à entrer, Mel avança sous le porche, laissant la porte se refermer dans son dos.

— Vous voulez dire qu'elle a fait ses bagages et qu'elle vous a quitté ?

Les trois derniers mots résonnèrent avec un écho sinistre dans le cœur de Theo.

— Oui, avoua-t-il. En me laissant un mot que je ne comprends pas.

— Je peux le voir ? demanda Melissa avec anxiété.

Theo hésita. C'était trop personnel. Mais la jeune femme insista :

— Vous voulez que je vous aide, n'est-ce pas ? Alors, montrez-moi son mot.

A regret Theo sortit de sa poche le papier froissé dont il connaissait le contenu par cœur.

« Theo chéri, je pars, je dois le faire, et n'essaie pas de me contacter. Tu comprendras vite pourquoi, et tout s'arrangera pour toi. Je t'aime, Annie. »

Après l'avoir lu, Melissa rendit le message à Theo. Puis elle croisa les bras et posa sur lui un regard dur.

— Que lui avez-vous fait ? demanda-t-elle.

— Rien du tout ! Je vous dis que je ne comprends pas…

— Il s'est bien passé quelque chose, enfin ! s'écria-t-elle.

— Je pense que… Enfin… Si, il est arrivé quelque chose qui…

— Quoi donc ? le coupa durement la jeune femme. Une autre femme ?

— Oui… enfin non…

Devant l'expression horrifiée de Melissa, Theo se reprit vite.

— Je ne suis pas sorti avec quelqu'un d'autre, mais… Comment vous expliquer ? Annie se juge responsable de quelque chose qui m'est arrivé et…

Il s'interrompit, à court de mots.

— Je pensais qu'elle vous aurait contactée, soupira-t-il.

— Non, elle ne l'a pas fait. Savez-vous à quelle heure elle est partie ?

— Dans le courant de la matinée, j'imagine. Si elle n'est pas chez vous, elle est peut-être repartie à Southern Cross.

— Probablement, gronda Annie qui avait repris son air courroucé. Ah, je savais que cette histoire finirait mal !

Theo était trop accablé pour protester. Il se contenta de demander :

— Si elle vous contacte, vous me le ferez savoir tout de suite ?

Melissa fronça les sourcils.

— Tout dépend de ce qu'elle me dira, monsieur Grainger. Elle n'a peut-être aucune envie de vous revoir.

— Je vous en prie, reprit-il, il faut que je la retrouve pour lui parler. Vous êtes son amie, je comprends que vous soyez inquiète à son sujet, mais je vous le promets, je ne pense qu'à son bien.

— Vous savez qu'elle est éperdument amoureuse de vous, n'est-ce pas ? finit par dire Melissa.

Theo sentit son cœur bondir dans sa poitrine.

— C'est bien pourquoi il faut que je la retrouve.

La jeune femme ne répondit pas tout de suite. Mais progressivement, elle perdit son expression dure. D'une voix plus douce, elle finit par déclarer :

— Entendu, si Annie appelle, j'essaierai d'obtenir qu'elle vous contacte.

***

La camionnette de Ted, le facteur, cahotait sur la route en terre qui traversait la Star Valley. Annie, sur le siège passager, scrutait le paysage à travers le pare-brise poussiéreux, espérant apercevoir bientôt la maison. Le chemin avait été long et éprouvant, depuis Brisbane, avec un premier arrêt à Townsville, puis à Mirrabrook. Maintenant que le voyage touchait à sa fin, elle avait hâte d'arriver. Plus elle se rapprochait de Southern Cross, plus une sorte de calme l'envahissait.

Des éclats verts et blancs entre les eucalyptus lui indiquèrent qu'elle était presque arrivée. L'instant d'après, elle vit la belle étendue verte de la pelouse et l'avancée de la véranda. Soudain, une fusée noire et blanche jaillit à l'angle de la maison pour se précipiter vers leur véhicule.

Lavande ! La chienne d'Annie.

Celle-ci se pencha à la portière pour lui faire de grands signes. C'était curieux, mais Lavande savait toujours quand Annie revenait, avant même de voir arriver la voiture qui la reconduisait. Chère Lavande ! Sa fidélité était si touchante qu'elle en eut les larmes aux yeux. Elle se fit violence pour ne pas penser à un autre chien, à qui elle avait dit adieu pour toujours.

— Vous prenez un thé avec nous avant de repartir ? demanda-t-elle à Ted.

Celui-ci hocha la tête avec une grimace qui pouvait passer pour un sourire chez cet homme taciturne.

— Volontiers, la poussière de la route donne soif.

C'était la phrase la plus longue qu'il avait prononcée depuis qu'ils avaient quitté Mirrabrook…

Quand il eut arrêté son véhicule devant le perron, Annie sauta à terre pour recevoir l'accueil enthousiaste de sa chienne. Quand Lavande consentit enfin à se calmer, Annie se redressa. Personne d'autre n'était là pour l'accueillir ? Elle le savait que Reid était à Lacey Downs pour remplacer le chef d'exploitation, mais où étaient les autres ? Son frère Kane, Vic le jardinier, et cette jeune Anglaise embauchée pour tenir la maison en son absence ?

— Kane ? cria-t-elle à la cantonade.

Peut-être était-il occupé du côté de l'atelier. Mais la jeune Anglaise ? Pourvu qu'elle ne soit pas déjà partie ! Annie avait espéré pouvoir profiter de sa compagnie pour la distraire de son chagrin.

Comme elle retournait chercher son sac dans la camionnette, la voix de Kane lui parvint enfin. L'instant d'après, il descendait le perron en courant. Beau, grand, les cheveux un peu en bataille, et vêtu comme toujours d'une chemise en coton, d'un jean et de bottes de cheval poussiéreuses. Comme c'était bon de le revoir ! Annie se jeta dans ses bras, et il la serra contre lui comme s'il sentait qu'elle avait besoin de son affection.

Quand il la relâcha, il la tint à bout de bras pour la dévisager.

— Je ne m'attendais pas à te voir si tôt, dit-il. Dis-moi comment tu vas ?

Annie prit une profonde inspiration.

— Ça va.

— C'est sûr ? insista son frère en fronçant les sourcils. Tu sembles un peu… fatiguée.

Annie haussa légèrement les épaules et détourna les yeux. Elle se rendait compte qu'elle allait avoir du mal à faire bonne figure, mais raconter ses malheurs lui semblait pire encore. Elle souffrait trop, elle s'effondrerait si elle parlait de ce qui lui était arrivé.

Mais elle ne pouvait tout de même pas fixer indéfiniment le bout de ses chaussures pendant que son frère l'observait… Elle leva les yeux et nota avec surprise que Kane lui aussi avait l'air préoccupé, qu'il avait le visage tendu.

— Tu n'as pas l'air en très grande forme, toi non plus, fit-elle observer. Quelque chose ne va pas ?

En guise de réponse, Kane se détourna pour héler le facteur.

— Salut, Ted, je ne t'avais pas vu. Tu veux bien te charger d'une autre passagère à ramener à Mirrabrook ?

— C'est possible, oui, répondit l'interpellé de façon laconique.

— De qui s'agit-il ? demanda vivement Annie. Pas de la jeune Anglaise, j'espère ?

Kane lui lança un regard perçant.

— Tu es au courant pour Charity ?

— Reid m'en a parlé. Elle part déjà ?

Kane hocha lentement la tête.

— Oui. Elle est même assez pressée.

Il avait parlé d'un ton égal, mais son regard était si triste, si morne, qu'Annie fut soudain certaine que son frère lui cachait quelque chose.

Décidément, elle n'aurait jamais dû quitter Southern Cross pour se précipiter tête baissée à Brisbane.

A son retour de Lacey Downs, Reid McKinnon comprit vite que quelque chose n'allait pas. Quelque chose tracassait son frère et sa sœur, il en aurait mis sa main au feu.

— Que vous est-il arrivé pendant mon absence ? demanda-t-il au dîner. Vous avez été malades ? Annie est toute pâle, et toi, Kane, tu es sinistre comme un condamné à mort.

Annie échangea un regard avec Kane en haussant les épaules. Depuis son retour à Southern Cross, elle avait évité de poser des questions trop directes à son frère. Pourtant, elle était à peu près certaine que la tristesse de Kane avait un lien avec le départ de Charity Denham, la jeune Anglaise. Elle ne l'avait vue que très rapidement avant son départ, mais elle l'avait trouvée ravissante, avec son teint très clair, ses immenses yeux verts et ses somptueux cheveux roux. Quand elle avait dit adieu à Kane, la tension entre eux avait été palpable. Pourquoi ce dernier l'avait-il laissée partir ? Sans doute parce qu'il était aussi stupide que sa petite sœur…

N'obtenant pas de réponse, Reid se remit à manger et leur parla du bétail de Lacey Downs. Mais Annie se doutait qu'il ne s'en tiendrait pas là…

Il revint à la charge le lendemain matin, pendant qu'Annie repassait son jean rose dans la buanderie. En le voyant, Reid se mit à rire.

— Tu n'as pas dû passer inaperçue avec un jean pareil ! J'imagine que tu l'as acheté à Brisbane ?

— Exact. Sur les conseils éclairés de Melissa et de Victoria.

Reid, qui s'était adossé au chambranle de la porte, l'observa en silence avant de demander :

— Alors ? Comment ça s'est passé, à Brisbane ?

— Très bien.

— Tout a marché comme tu voulais ?

— Plus ou moins…

— Tu es rentrée ici précipitamment, je me trompe ?

Elle haussa les épaules sans répondre.

— Tu as mauvaise mine, tu sais, insista son frère.

Il la regardait avec tant de tendresse et de sollicitude… Mais elle ne voulait pas craquer. Comment pourrait-elle retenir ses larmes si elle se confiait à lui ?

La voix de son frère lui parvint soudain.

— Attention, Annie, tu vas brûler ton pantalon.

Elle posa vivement le fer sur son support avant de le débrancher. Puis elle suspendit le jean à un cintre avant de se tourner vers Reid. Elle portait le même amour à ses frères, mais quand elle avait besoin de réconfort ou d'un conseil, c'était toujours vers Reid qu'elle se tournait. Il savait écouter.

— D'après Kane, tu refuses de prendre les appels d'un type de Brisbane, reprit-il.

Annie se sentit rougir.

— Je n'ai pas envie de lui parler.

— Je ne veux pas être indiscret, Annie, mais qui est-ce ? Que t'a-t-il fait ?

— Rien, se hâta-t-elle de répondre.

— Tu ne veux pas de lui et il s'accroche, c'est ça ?

La mort dans l'âme, Annie se contenta de hocher la tête.

— Alors pourquoi es-tu si déprimée ?

— Je suis juste fatiguée, Reid, ne t'inquiète pas. Je suis trop sortie à Brisbane. Ce n'est pas grave.

Reid ne paraissait pas convaincu. Croisant les bras, il proposa :

— Et si tu prenais de vraies vacances ? Des vacances qui te changeraient les idées ?

— Pourquoi pas ? Tu as quelque chose de précis en tête ?

— J'ai discuté avec Kane hier soir, déclara-t-il.

— A-t-il enfin admis qu'il était amoureux de Charity ?

— J'ai fini par le lui faire avouer, et franchement, je suis heureux pour lui : cette fille est ravissante et je crois qu'elle est vraiment très bien.

— C'est aussi mon impression, renchérit Annie.

— Je lui ai donc conseillé d'aller en Angleterre essayer de régler les choses avec elle.

— C'est formidable, Reid ! Pourvu qu'il suive ton conseil !

— Quant à toi, sais-tu ce que je pense ? Tu devrais l'accompagner. Vous prendriez le même vol pour Londres, et tu filerais voir maman en Ecosse.

Pour que son frère ne voie pas à quel point sa proposition la déstabilisait, Annie se baissa pour ramasser un cintre tombé sur le sol.

— Mon idée ne te plaît pas ? s'étonna Reid.

— Si… si, bien sûr.

En d'autres circonstances, elle aurait bondi de joie. Sa mère lui manquait tant. Mais l'idée de mettre autant de distance entre Theo et elle lui était insupportable.

— Ça m'ennuie de te laisser seul à Southern Cross, dit-elle enfin.

— Ne te tracasse pas pour moi, le cuisinier que j'ai engagé doit arriver d'un jour à l'autre.

— Et la comptabilité ? insista Annie. J'ai déjà pris pas mal de retard pendant mon absence.

— Je me débrouillerai. Surtout avec les tableurs que tu as mis au point sur l'ordinateur, ça ne devrait pas poser de problème. Et puis, Sarah Rossiter me donnera un coup de main s'il le faut.

Annie fit mine de le menacer avec le cintre qu'elle tenait à la main.

— Attention, Reid ! Sarah Rossiter est très occupée avec l'école de Mirrabrook. Elle n'est pas à ton service !

Annie fut étonnée de voir son frère se rembrunir tandis que ses yeux gris prenaient un éclat métallique.

— Ne m'accuse jamais de ce genre de chose. J'ai trop de respect pour Sarah pour profiter de sa gentillesse !

Pourquoi prenait-il la mouche ? se demanda-t-elle. Ignorait-elle quelque chose sur les relations entre son frère et Sarah ?

— Excuse-moi, Reid, dit-elle simplement.

— Revenons à nos affaires, reprit son frère qui avait recouvré son calme tout aussi vite qu'il s'était emporté. Les transhumances sont finies, je peux donc très bien me débrouiller seul.

Ainsi, il avait tout prévu… Annie posa son cintre dans le panier à linge et gagna la porte pour regarder le ciel d'un bleu intense, l'enclos d'herbe desséchée qui descendait en pente douce jusqu'aux arbres, près de la rivière.

Elle soupira. Au bout du compte, elle savait bien que l'endroit où elle se trouvait importait peu puisqu'elle ne voulait plus avoir aucun contact avec Theo. Quitte à être séparée de lui, autant être avec sa mère en Ecosse plutôt qu'ici à ressasser son chagrin, sans rien ni personne pour la distraire.

Il lui fallait oublier Theo. Et si elle restait à Southern Cross, sa détermination pourrait faiblir. Ne risquait-elle pas de craquer et de prendre un matin le premier avion pour Brisbane ? Aller en Ecosse était peut-être plus sage.

Avant de se tourner vers Reid, elle inspira plusieurs fois profondément.

— Merci pour ta proposition, dit-elle, je vais y réfléchir.

— Décide-toi vite, car Kane ne tient plus en place à l'idée de partir.

Theo n'arrivait pas à se concentrer sur ses copies. Il fallait pourtant qu'il les corrige : les résultats des examens de fin d'année devaient être publiés dans moins d'une semaine. Oui, mais Annie occupait toutes ses pensées.

Où était-elle ? Il l'avait appelée à Southern Cross et sur son portable, n'obtenant que des messageries. Ses mails restaient également sans réponse. Et hier, même Melissa avait refusé de lui parler au téléphone…

Il aurait voulu sauter dans un avion pour Townsville, puis louer une voiture pour rejoindre la Star Valley. Mais avec toutes ces copies à corriger, il ne pouvait pas quitter Brisbane tout de suite.

Lui d'habitude si flegmatique ne se reconnaissait plus. La disparition d'Annie lui avait ôté tout sang-froid. Il ne parvenait même plus à penser logiquement. Cette fille l'obsédait ! Il aimait tant sa vivacité, son sens de l'humour, son enthousiasme, sa curiosité… Il aimait aussi sa sensualité, son ardeur quand ils faisaient l'amour, et son immense générosité. Oui, il était fou d'elle.

Il regrettait maintenant de ne pas avoir pris plus au sérieux la façon dont elle s'était sentie responsable de son licenciement. Mais il avait trouvé si absurdes ses soupçons concernant Claudia…

Dans son dos, la porte grinça soudain. Theo se retourna

pour découvrir Rex Bradley, assistant comme lui, qui passait la tête dans le bureau.

— J'ai frappé, mais tu n'as pas répondu, dit-il sur un ton d'excuse.

— Je ne t'ai pas entendu. Entre donc, Rex, quel bon vent t'amène ?

— Une excellente nouvelle ! Pour toi d'abord, mais aussi pour nous tous. Son Altesse madame la directrice du département, j'ai nommé Claudia, vient de changer d'avis. Finalement, elle a le budget pour renouveler ton contrat.

— Quoi ?

Theo sentit son sang se glacer dans ses veines.

— Tu m'as entendu. Claudia a changé d'avis, tu restes avec nous.

— C'est… c'est incroyable. Et pourquoi ?

— Qui peut le savoir ? Mais peu importe. Une seule chose compte : nous n'allons pas te perdre.

Theo fixa Rex tandis que l'horrible vérité s'imposait à lui : Annie avait vu juste et il ne l'avait pas crue…

— Pourquoi Claudia ne m'annonce-t-elle pas la nouvelle elle-même ? demanda-t-il.

— Elle a un rendez-vous à Sydney et elle a dû partir en vitesse pour ne pas rater son avion, expliqua l'assistant. Mais à mon avis, elle n'est pas très fière de s'être ravisée aussi soudainement. Elle m'a demandé de te remettre ceci.

C'était un contrat en bonne et due forme sur papier à en-tête de l'université. Mais Theo était trop accablé pour le lire, *a fortiori* pour le signer…

Annie s'était sacrifiée pour lui !

— Ça n'a pas l'air de te rendre heureux, fit observer Rex qui le fixait avec étonnement.

Heureux ? Comment Theo aurait-il pu être heureux alors que Claudia s'était jouée de lui, et qu'Annie l'avait quitté pour qu'il puisse retrouver son poste ?

11.

La semaine précédant Noël n'était pas le meilleur moment pour visiter l'Ecosse, surtout quand on était habitué au climat tropical du Queensland. En marchant au bord du lac de Menteith, Annie s'efforçait de se représenter le paysage désolé qui s'offrait à elle, transposé sous un soleil d'été. Mais impossible... Le lac que l'on disait si romantique était à présent blême et glacé, et les forêts qui l'entouraient, noires et inhospitalières.

Cependant, ce pays froid et battu par les vents, avec ses ciels mornes et gris, convenait à l'humeur d'Annie. De gros flocons de neige tombaient, tandis qu'elle fixait la petite île au milieu du lac. Et l'image de Theo s'imposa devant ses yeux.

Il surgissait ainsi à tout moment, quoi qu'elle regarde, où qu'elle se trouve, et même quand elle parlait aux gens... Theo était en elle, et son absence physique la déchirait.

Le voyage en Ecosse n'avait rien arrangé à ça. Bien sûr retrouver sa mère, qui vivait chez sa tante Flora, avait ravi Annie, mais elle n'avait pu se résoudre à lui parler de Theo. Elle savait que l'évoquer par la parole ne ferait que rendre plus cruel son besoin de le voir. Le voir... Sentir sa chaleur, respirer son odeur, caresser sa peau, tout partager avec lui, ne jamais le quitter... Avec lui, ce pays enneigé et froid lui aurait paru chaleureux et le plus beau du monde !

Plus le temps passait, plus Annie sentait faiblir sa détermination de ne plus revoir Theo. Il était donc grand temps de se ressaisir et de l'oublier une bonne fois pour toutes, au lieu de rêver sans arrêt à lui. Mais comment faire ? Theo était l'homme de sa vie, celui qu'elle avait toujours attendu...

« Pense à autre chose ! »

Elle rejoignait sa voiture dans le froid glacé quand son téléphone portable sonna. Son cœur fit un bond. Quelle idiote ! Il n'y avait pourtant aucune chance pour que ce soit Theo.

Malgré ses gros gants qui la rendaient maladroite, elle réussit à extirper de sa poche le petit appareil. Il affichait le numéro de Kane.

— Salut, Kane, dit-elle, forçant sa voix dans le vent qui mugissait à ses oreilles. Tu vas bien ?

— Mieux que bien ! s'exclama son frère avec une allégresse qu'Annie ne lui connaissait pas. Charity et moi allons nous marier.

— Oh ! Kane, c'est magnifique ! Quand ? Où ?

— Dans quelques semaines. Et ici, à Hollydean, dans le Derby. On compte sur toi pour amener maman et tante Flora.

— Bien sûr, nous viendrons toutes les trois ! Je suis si heureuse pour toi, Kane ! Dis-moi, tu te sens comment ?

— J'ai l'impression d'être sur un petit nuage. Je n'arrive pas à croire que Charity m'aime. C'est merveilleux, tu sais ?

— Je... je m'en doute.

— Je te rappellerai pour te donner plus de détails. Maintenant raconte-moi, l'Ecosse te plaît ?

— C'est très beau. Aujourd'hui, je suis partie à la découverte des lacs. Et le Derby, c'est comment ?

— Quand on vient de Southern Cross, on trouve tout petit ici ! s'exclama Kane. On a l'impression que le comté tient dans un mouchoir de poche. Je n'en reviens pas. Hollydean, le village de Charity, ressemble à une carte postale de Noël.

— J'ai hâte de le connaître. Dis-moi, tu as prévenu Reid ?

— Bien sûr.

Le frère et la sœur échangèrent encore quelques mots avant de raccrocher, et Annie rempocha son portable pour reprendre sa marche jusqu'à la voiture.

Bien sûr, elle était heureuse pour son frère. Pourtant, elle sentait une nouvelle vague de désespoir monter en elle. Elle avait l'impression de sombrer dans un puits sans fond. Plus que jamais, Theo lui était nécessaire, essentiel même, comme l'air qu'elle respirait.

Brusquement elle sut qu'il fallait qu'elle le joigne. Maintenant. Tout de suite. Une minute de plus sans entendre sa voix était au-dessus de ses forces.

Son cœur battait à tout rompre lorsqu'elle parvint à sa voiture. Elle s'installa au volant et sortit son portable. En Australie, il faisait nuit en ce moment, mais elle était sûre que Theo ne dormirait pas encore. Que lui dirait-elle ? Arriverait-elle seulement à parler ? Si Theo lui disait qu'il avait récupéré son poste à l'université, elle saurait qu'elle ne s'était pas sacrifiée pour rien...

Annie composa le numéro de Theo. La sonnerie

retentit… puis s'arrêta… comme le cœur d'Annie. Enfin la voix tant aimée résonna dans l'appareil : « Vous êtes bien chez Theo Grainger, je ne puis vous répondre, étant absent de Brisbane pour une durée indéterminée. Laissez un message après le bip. »

Oh non ! C'était trop affreux ! Theo n'était pas à Brisbane… Etait-il possible qu'il n'ait pas retrouvé son poste et qu'il soit parti en chercher un ailleurs ? Elle s'était donc sacrifiée pour rien ! Incapable de réprimer un gémissement étranglé, Annie lâcha son téléphone et se mit à sangloter.

Theo ne se sentait pas très à l'aise sous le regard soudain suspicieux de Reid McKinnon. Le sourire de bienvenue de ce dernier s'était évanoui dès l'instant où Theo avait annoncé qu'il arrivait de Brisbane pour voir Annie.

Il gravit cependant les marches et tendit une main à Reid qui la prit avec beaucoup de méfiance.

— Et vous venez d'aussi loin uniquement pour parler à ma sœur ? demanda Reid.

— Oui, admit Theo. J'espérais trouver Annie. Elle n'est pas là ?

— Vous l'avez appelée plusieurs fois, n'est-ce pas ? Et elle n'a pas voulu vous parler, me semble-t-il.

— C'est vrai.

— Faut-il vraiment vous mettre les points sur les i ?

— Ecoutez, je comprends que vous soyez sur vos gardes…, commença Theo.

Mais Reid ne le laissa pas aller plus loin. Ses yeux étincelaient de colère.

— Je n'ai qu'une chose à vous dire : si vous êtes responsable de l'état dans lequel nous avons récupéré Annie, vous devriez avoir honte de vous, monsieur Grainger !

— Son état, dites-vous ? s'écria à son tour Theo malgré ses efforts pour conserver un calme apparent. Que voulez-vous dire ?

N'obtenant pas de réponse, il prit peur et demanda, affolé :

— Où est Annie ? Que lui est-il arrivé ?

Reid parut se radoucir mais il semblait encore réticent à répondre.

— Je n'aurais pas parcouru des milliers de kilomètres si votre sœur n'était pas très importante pour moi, insista Theo.

A cet instant, des aboiements frénétiques explosèrent dans son dos. Il aperçut Basilic qui bondissait sur le siège passager du 4x4 de location, les deux pattes de devant dressées contre la vitre. A l'extérieur, devant la portière, un colley d'Ecosse bondissait en aboyant follement, comme pour souhaiter la bienvenue au dalmatien.

Theo se retourna aussitôt vers Reid.

— C'est Lavande ?

— Annie vous a parlé de sa chienne ?

— Bien sûr.

Reid parut se détendre un peu. Et s'adressant à la chienne, il lança :

— Assez, tu veux ? Tais-toi !

En vain. Lavande aboyait de plus belle.

— Bizarre, marmonna Reid. On dirait que ces deux chiens se connaissent.

Il descendit en hâte les marches du perron, Theo sur ses talons. Sans un mot, celui-ci ouvrit la portière, et

Basilic manqua le renverser en jaillissant du véhicule comme une fusée.

— Ça alors..., souffla Reid comme les deux chiens se rejoignaient enfin en sautant et en aboyant de joie.

Soudain, Theo vit que Lavande reniflait avec excitation le ruban jaune accroché au collier de Basilic. Et il comprit alors la raison de toute cette agitation.

— C'est le ruban avec lequel Annie retenait ses cheveux, expliqua-t-il.

Dès lors, l'attitude de Reid changea radicalement. Il se mit à rire en observant les deux chiens, puis il se tourna vers Theo.

— Rentrons dans la maison. Vous m'expliquerez la raison de votre visite.

Jessie McKinnon poussa l'assiette de petits gâteaux vers sa fille.

— Reprends-en un, chérie.

— Merci, maman, je n'ai vraiment plus faim.

Avec un soupir, sa mère but une gorgée de thé avant de poser sur Annie un regard préoccupé.

— Tu ne vas pas bien, ma chérie, quelque chose te tracasse.

Annie voulut protester.

— Mais non, maman, tout va bien.

Mais le tremblement de sa main quand elle reposa sa tasse sur la table n'échappa pas à sa mère.

— Tu as maigri et tu as des cernes. Flora aussi s'en est aperçue. Dis-moi ce qui te tourmente, ma chérie. C'est à cause d'un homme ?

Annie ferma les paupières pour endiguer un flot de larmes brûlantes. Elle hocha la tête.

— Tu l'aimes ? insista sa mère.

Annie acquiesça.

— Et lui non ?

— Oh non, maman, au contraire !

En plongeant son regard dans celui de sa mère, Annie sut qu'elle pouvait lui faire confiance. Elle en était sûre, sa mère saurait la comprendre. Oui, le moment était venu de lui parler de Theo.

Il faisait presque nuit quand elle arriva à la fin de son récit. Sa mère, qui ne l'avait pas interrompue une seule fois, se leva pour la serrer contre elle.

— Ma petite fille si courageuse ! murmura-t-elle.

Puis elle s'approcha du fourneau où mijotait le repas du soir, vérifia le contenu de la cocotte, et tira les rideaux fleuris, comme pour empêcher la nuit d'envahir la cuisine.

— Il faut que nous discutions, ma chérie, dit-elle enfin, avant de se rasseoir auprès d'Annie.

— J'ai bien fait de le quitter, n'est-ce pas, maman ? demanda celle-ci, soudain angoissée. Tu comprends que je n'avais pas d'autre choix, n'est-ce pas ?

Jessie ne répondit pas tout de suite. Puis elle prit la main de sa fille pour la serrer tendrement dans la sienne.

— Tu as été courageuse, Annie, et je suis fière de toi, déclara-t-elle enfin avant de marquer un nouveau silence, comme si elle se demandait comment formuler ce qu'elle avait à dire.

Quand elle reprit la parole, ce fut presque en chuchotant.

— Mais je ne peux m'empêcher de penser que tu as commis une erreur.

— Comment cela ? souffla Annie.

— Tu as agi sans consulter Theo. Tu aurais dû lui demander son avis.

— C'était impossible, voyons !

— Tu l'as cru, ma chérie, et je sais que tu as agi en toute bonne foi, mais essaie de voir la situation de son point de vue à lui.

— Je l'ai fait ! Je me suis mise à sa place et j'ai compris le mal que je lui causais. Il allait perdre son travail à cause de moi. Et dans la foulée, il aurait perdu sa maison de Brisbane, sa famille. Tout !

— Mais tu l'as quitté sans lui permettre d'en discuter avec toi.

— Il aurait essayé de me convaincre de rester.

— Tu ne le voulais pas ?

— Si, bien sûr, gémit Annie qui se prit la tête dans les mains. Pourquoi me critiques-tu ainsi, maman ? Je suis déjà assez malheureuse !

Jessie poussa un soupir et caressa les beaux cheveux de sa fille.

— Je ne te critique pas, ma chérie, mais je te connais. Tu es si impulsive. Ce qui me chiffonne, vois-tu, c'est que tu n'as pas été tout à fait honnête avec Theo. Tu ne lui as pas parlé de ce que t'avait dit Claudia.

— Il ne m'aurait pas crue ! s'écria Annie. Claudia est une femme superbe et elle dirige le département de philosophie de l'université. Il est difficile d'imaginer qu'une personne de sa stature soit jalouse d'une petite idiote tout juste sortie de son bush natal.

— Je crois que tu te sous-estimes, Annie, soupira

Jessie, mais laissons cela de côté. A mon avis, tu aurais dû donner à Theo une chance de résoudre lui-même son problème. C'était à lui de décider ce qui était le mieux pour sa carrière. Pas à toi.

Annie fixa sa mère un long moment. Ce qu'elle venait d'entendre lui faisait horriblement mal mais lui ouvrait en même temps de nouveaux horizons. Sa mère avait-elle raison ? Avait-elle eu tort de vouloir se sacrifier ? En croyant offrir la liberté à Theo, avait-elle obtenu l'effet inverse ? Après tout, il était un homme mûr, un philosophe de surcroît, habitué à réfléchir. Annie au contraire agissait toujours par impulsion, laissant ses émotions prendre le dessus.

— Oh, maman, gémit-elle, effondrée. J'ai perdu Theo par ma faute !

12.

La réception battait son plein dans la grande salle à manger de l'hôtel d'Hollydean, dans le Derby. Kane McKinnon venait d'épouser Charity, et les invités étaient venus nombreux à la fête qui faisait suite à la cérémonie religieuse.

Theo se tenait debout dans le hall d'entrée. De l'autre côté de la double porte, il entendait de la musique, des rires et le brouhaha de conversations animées. Annie était là, au milieu de tous ces gens, mais il devrait attendre encore. Quelle que soit son envie de la revoir, il n'avait pas l'intention de s'imposer au mariage de son frère sans y avoir été invité.

Il était tendu à l'extrême. A dire vrai, depuis son départ d'Australie, sa tension n'avait fait que croître pour atteindre maintenant son point culminant. Car il ne mesurait que trop bien l'importance capitale du moment qui approchait et où il allait enfin revoir Annie.

Tout à coup, la porte de la salle s'ouvrit et un homme très grand apparut, tirant sur son nœud papillon pour le desserrer. En voyant Theo, il eut un large sourire.

— Vivement que ce soit fini !

Son accent australien et ses yeux bleus, si semblables à

ceux d'Annie, ne laissaient pas de doute : c'était le marié. Theo s'avança vers lui la main tendue.

— Vous êtes Kane McKinnon ? Toutes mes félicitations.

— Merci.

En lui serrant la main, Kane plissa des yeux comme pour l'évaluer du regard.

— Nous nous connaissons ? demanda-t-il.

— Non. Je suis Theo Grainger. C'est votre frère Reid qui m'a dit où vous trouver.

— Grainger, dites-vous ? Ah oui !

De nouveau, Kane eut un large sourire avant d'ajouter :

— Je me rappelle. Reid m'a parlé de vous hier au téléphone, quand il m'a appelé pour me souhaiter bonne chance pour le mariage. Je dois avouer vous lui avez fait une très bonne impression. Il m'a chanté vos louanges, et ce n'est pas son genre !

— Nous nous sommes en effet bien entendus, admit Theo.

Kane lui fit alors un clin d'œil.

— J'ai cru comprendre que vous aviez également fait une très impression sur ma sœur Annie.

Theo avala sa salive.

— C'est… c'est la raison de ma venue ici. Il faut que je la voie.

Kane se mit à rire puis il donna une tape vigoureuse sur l'épaule de Theo.

— Décidément, on dirait que les Australiens amoureux font la fortune des compagnies aériennes ! J'allais quitter la fête pour me changer, parce que Charity et moi devons partir en voyage de noces, mais je vais d'abord vous chercher Annie.

— Il ne faut pas la déranger. Elle doit s'amuser et je... enfin, je peux attendre.

— Ne dites pas de bêtises.

Réussirait-elle à tenir le coup encore longtemps ? Autour d'Annie, les invités s'amusaient et bavardaient joyeusement. Elle-même ne réussissait à sourire qu'au prix d'un effort surhumain. Et encore avait-elle l'impression de grimacer...

Elle avait mieux supporté la cérémonie à l'église, un peu plus tôt, car personne ne s'était étonné de la voir verser quelques larmes lors de ce moment particulièrement émouvant. Mais maintenant, elle gâcherait la fête si elle éclatait en sanglots.

Pourtant elle était sincèrement heureuse pour Kane et Charity. Et la réception était très réussie. Annie s'était même laissé entraîner sur la piste pour quelques danses : avec le maître d'école d'Hollydean, puis avec le responsable de l'agence bancaire locale, et enfin avec Tim, le jeune frère de Charity. Mais tout aujourd'hui rappelait à Annie ce qui aurait pu être et ne serait jamais, à cause de son impulsivité et de son désastreux penchant à agir sans réfléchir.

Une légère tape sur son épaule la tira de ses sombres pensées. C'était Kane qui lui souriait avec un air malicieux.

— Tu es encore ici ? s'étonna-t-elle. Tu devais aller te changer.

— Je suis revenu parce que j'ai un message pour toi. Quelqu'un dehors veut te parler.

— Vraiment ? Où donc ?

— Dans le hall de l'hôtel.

— Mais je ne connais personne ici, s'étonna Annie. Es-tu sûr qu'il s'agit bien de moi ?

Le sourire de Kane s'élargit.

— Absolument certain.

Il prit sa sœur par le coude et lui indiqua la porte à double battant.

— C'est par là-bas, dit-il.

— Qui dois-je trouver dans le hall ?

— Tu verras bien.

Et Kane l'abandonna pour se faufiler vers une autre sortie.

Perplexe, Annie se fraya un chemin dans la foule. Hormis sa mère, sa tante Flora et Tim, le frère de Charity qui avait travaillé quelque temps à Southern Cross, elle ne connaissait personne à Hollydean. Qui pouvait donc la demander ?

Elle poussa la porte, fit un pas dans le hall de l'hôtel… et il lui sembla que son cœur s'arrêtait soudain de battre.

Près d'un présentoir de brochures publicitaires se tenait un homme qui ressemblait tant à…

Theo ! Si séduisant dans un épais chandail de cashmere beige et un pantalon en velours kaki… Il avait l'air anxieux, presque gêné…

— Bonjour, Annie, articula-t-il d'une voix pleine d'émotion.

— Bonjour, Theo.

Elle le fixait, osant à peine croire qu'il était bien là, sous ses yeux. Elle avait l'impression de rêver.

— Je suis si heureuse de te voir, murmura-t-elle.

— C'est vrai ? demanda-t-il.

— Oh oui, Theo, tu m'as tellement manqué !

Il lui tendit les bras. L'instant d'après, elle s'y précipitait et il les refermait sur elle pour la serrer contre lui.

Quelle joie de se retrouver ainsi lovée contre lui ! Annie entendait le cœur de Theo battre sourdement sous le cashmere moelleux... Elle avait l'impression d'avoir enfin touché le port.

Saisie par une intense émotion, elle éclata en sanglots. Theo dut comprendre qu'elle pleurait de joie, car il ne chercha pas à la consoler, se contentant de la serrer contre lui en lui caressant les cheveux.

Quand elle fut un peu plus calme, elle leva les yeux vers lui en souriant.

— Oh, Theo, c'est si bon d'être avec toi.

Il lui rendit son sourire.

— Tu m'as manqué aussi, tu sais, murmura-t-il.

— Je suis vraiment honteuse de t'avoir quitté comme je l'ai fait, avoua-t-elle, mais je croyais bien agir. En réalité, j'ai tout gâché.

— Tu n'es responsable de rien. Tout est de la faute de Claudia.

— Peut-être, mais je n'aurais pas dû disparaître sans te donner d'explication, ni refuser tes appels quand tu as cherché à me joindre.

Theo enroula tendrement une boucle des cheveux d'Annie autour de son doigt, puis il dit en riant :

— J'avoue que je t'ai maudite !

— Tu crois que tu me pardonneras ?

Dans les yeux de l'homme qu'elle aimait, Annie lut la réponse à sa question. Elle crut qu'il allait l'embrasser, mais il suivit du doigt le décolleté de sa robe en lainage mauve.

— Très élégante, dit-il.

Elle sourit.

— J'ai pensé que la robe rose à paillettes était un peu trop osée pour Hollydean.

— Ils ne savent pas ce qu'ils manquent ! rétorqua Theo avec un sourire espiègle.

— Qui t'a mis au courant du mariage de Kane ? interrogea alors Annie. Comment savais-tu que j'étais ici ?

— Ton frère Reid. Nous avons sympathisé, à Southern Cross.

— Parce que tu es allé jusque là-bas pour… pour me voir ?

— Bien sûr, pourquoi ?

— Tu avais déjà tant de problèmes à résoudre ! Tu sais, je te dois un aveu : j'ai appelé une fois chez toi, il y a un mois. Mais je n'ai eu que ton répondeur qui disait que tu étais absent pour une durée indéterminée. J'ai été anéantie en comprenant que tu n'avais pas récupéré ton poste et que ce que j'avais fait n'avait servi à rien.

— Pas du tout, Annie ! Tout s'est passé exactement comme tu l'avais prévu. Dès que Claudia a su que tu m'avais quitté, elle a renouvelé mon contrat. Comme par miracle, elle avait de nouveau le budget pour le faire !

Le visage d'Annie s'illumina.

— Oh, c'est merveilleux. Tu es content, non ?

— Honnêtement, je m'en moque. J'ai dit à Claudia que je ne voulais pas de son poste d'assistant. Et je le lui ai dit vertement, tu peux me croire !

Comme elle le regardait sans comprendre, Theo s'exclama :

— Tu ne sembles pas réaliser, Annie ! Tu es beaucoup plus importante pour moi que n'importe quel travail ! Et travailler sous le contrôle de Claudia après ce qu'elle nous a fait était devenu impossible.

Annie aurait voulu rire et pleurer à la fois. Etait-il possible d'être aussi heureuse ? Il lui semblait qu'elle allait exploser de bonheur.

Elle réussit à prendre un air malicieux pour dire :

— Theo, nous sommes dans un endroit public, et si tu me dis des choses aussi adorables, je risque de te témoigner ma gratitude d'une manière que l'on pourrait juger très inconvenante.

— J'assumerai, déclara-t-il feignant le plus grand sérieux.

Comme pour le prouver, sans se soucier des gens qui traversaient le hall, il l'attira de nouveau dans ses bras pour l'embrasser.

— Tu m'as trop manqué, murmura-t-il tout contre sa bouche lorsqu'il reprit son souffle.

Il l'embrassa de nouveau. Leur baiser se faisait de plus en plus passionné lorsqu'une voix amusée les interrompit.

— Content que vous vous soyez retrouvés, tous les deux !

C'était Kane qui descendait l'escalier après s'être changé pour partir. Il ajouta :

— On dirait que ça se passe bien entre vous.

Annie leva sur lui un sourire radieux.

— J'aimerais faire plus ample connaissance avec vous, Theo, ajouta Kane, mais ce n'est pas le jour. Ma femme ne va pas tarder à descendre à son tour, et elle n'apprécierait pas que nous partions en retard pour notre lune de miel.

— Bien dit, s'exclama une voix féminine au-dessus d'eux.

Charity, ses beaux cheveux auburn retombant gracieusement sur ses épaules, vêtue d'un long manteau noir qu'éclairait une écharpe de laine multicolore, descendait l'escalier à la hâte. Annie fit de rapides présentations, et Charity, glissant un bras sous celui de son mari, déclara :

— Je suis heureuse de vous connaître, Theo, et j'aimerais moi aussi rester plus longtemps en votre compagnie. Mais si je vous disais que je regrette de devoir partir si vite, me croiriez-vous ?

— Certainement pas, répondirent en chœur Annie et Theo.

— Nous ne l'avons dit à personne, chuchota la jeune Anglaise dont les yeux scintillaient de bonheur, mais nous allons à Paris.

— Quelle chance ! s'exclama Annie avant d'embrasser son frère et sa belle-sœur. Amusez-vous, tous les deux !

Les deux jeunes mariés disparurent, et Theo prit la main d'Annie.

— Tu crois que nous pouvons nous échapper, maintenant, ou faut-il que tu dises au revoir à tout le monde ?

Annie, dont le cœur battait d'impatience, le regarda en souriant.

— La politesse voudrait que j'aille prévenir ma mère, mais je te la présenterai demain. Et je suis sûr que Kane lui dira avant de partir que tu es là.

Elle l'entraîna vers l'escalier.

Quand ils furent seuls dans la chambre d'Annie, Theo la souleva dans ses bras.

— Je t'aime, Annie !

— Je t'aime, Theo !

Leurs cœurs battaient à l'unisson. Quand il la déposa sur le sol, ils échangèrent des baisers impatients et ardents, s'étreignant avec une passion exacerbée par leur longue séparation. Puis Theo se détacha légèrement.

— Nous partons à Rome, tous les deux, murmura-t-il.

— Où ? chuchota-t-elle, incrédule.

Avec un sourire, il déposa un baiser sur le bout de son nez.

— A Rome. Tu sais, en Italie, ce pays que tu voulais connaître.

— Mais... mais...

— C'est là que je vais travailler, expliqua Theo. J'ai obtenu une bourse d'études de six mois à l'université de Rome.

— Oh ! Theo, c'est merveilleux pour toi !

— Pour *nous*, Annie. Plus question que je me sépare de toi. D'ailleurs je t'avais promis de t'emmener à Rome, tu te rappelles ? Eh bien, chose promise, chose due ! Tu viens avec moi. Tout est prévu, nous partons directement de Londres.

Annie était trop stupéfaite pour répondre.

— J'ai tout organisé en accord avec ton frère Reid, et j'ai même réglé le problème de Lavande.

— Lavande ?

— Oui, j'ai laissé Basilic à Southern Cross. Lui et Lavande font une vraie paire d'amis. Tu n'as donc pas à te culpabiliser de l'abandonner pendant six mois.

Theo sourit encore.

— Tu vois, chérie, j'ai tout prévu, il ne te reste plus qu'à t'habituer à l'idée de passer six mois avec moi à Rome. Et si tu refuses, attention, je pourrais bien te porter jusque là-bas dans mes bras !

Annie lui rendit son sourire.

— N'aie crainte, Theo, j'irais en Italie à la nage, s'il le fallait, pour être avec toi !

Ils arrivèrent à Rome le surlendemain, au petit matin. La veille, ils avaient annoncé leurs projets à Jessie McKinnon qui leur avait donné son enthousiaste bénédiction.

Ils étaient partis le soir même pour Londres dans la voiture louée par Theo. Le vol pour l'aéroport de Fiumicino n'avait duré que trois heures pendant lesquelles ils avaient un peu dormi.

Dès qu'ils entrèrent dans l'appartement qu'ils allaient occuper pendant six mois, Annie s'exclama :

— Comme c'est joli ici !

Le logement se composait d'une petite cuisine, d'un vaste salon dallé de terre cuite, avec des murs peints à la chaux et de grosses poutres au plafond. Le mobilier était simple mais de bon goût, et sur la table de bois trônait un compotier rempli de poires bien mûres : cadeau d'accueil du sympathique propriétaire. Il y avait aussi une chambre avec un grand lit recouvert d'une courtepointe blanche.

Sans attendre, Theo prit Annie par la main pour la conduire à la fenêtre dont il ouvrit les persiennes.

— Que penses-tu de la vue ? demanda-t-il.

Dans la lumière pâle de l'aube, Annie sortit sur le minuscule balcon. A la balustrade en fer forgé étaient accrochés une multitude de pots de géraniums, en fleurs malgré la saison. L'effet était ravissant. Au loin se dessinaient les contours adoucis d'une colline que dominait de beaux pins parasols découpés sur le ciel encore sombre. Puis le regard d'Annie erra sur la succession des toits en tuile rouge, où pointait parfois un clocher ou le dôme d'une église.

Plus près, se dressaient de belles maisons, certainement d'anciens palais, avec leurs façades peintes en jaune, rouge sombre ou vieux rose.

Elle se pencha par-dessus de la balustrade : en bas, en bordure de la petite place, un café avait sorti ses tables et ses sièges, tandis qu'un peu plus loin, une fontaine chantait par la bouche de deux dauphins en pierre.

Eblouie, elle se retourna vers son compagnon.

— Nous sommes dans le Trastevere, n'est-ce pas ? C'est exactement la vue que tu m'avais décrite.

Theo l'entoura de ses bras.

— Ça te plaît ?

— Oh, Theo, c'est magnifique ! Je suis si heureuse d'être ici avec toi !

— Alors j'ai une requête à te faire, murmura-t-il doucement. Veux-tu être ma femme ? Nous pouvons nous marier tout de suire, si tu le veux.

Pouvait-on mourir de bonheur ? Annie, une fois encore, se posa la question. Cependant, aussi heureuse fût-elle, elle hésitait à répondre et détourna les yeux.

— Chérie ? murmura Theo, étonné par son silence.

Elle leva vers lui un regard empli de larmes.

— Theo, bien sûr que je veux t'épouser. Cependant…

Elle marqua une hésitation.

— Mais j'ai promis à mon père que si je me mariais un jour, ce serait à Southern Cross, reprit-elle d'une voix brisée par l'émotion. C'était sans doute une promesse idiote, je m'en rends compte aujourd'hui, mais…

L'espace d'un bref instant, Theo sembla déçu. Mais

très vite, il lui sourit de nouveau avec une ineffable tendresse.

— Dans ce cas, fiançons-nous. Aujourd'hui même, nous irons acheter une bague. Je veux que le monde entier sache qu'Annie McKinnon est à moi !

Et Annie sut que ce bonheur, *leur* bonheur, ne faisait que commencer…

Chère lectrice,

Vous nous êtes fidèle depuis longtemps?
Vous venez de faire notre connaissance?

C'est pour votre plaisir que nous avons imaginé un rendez-vous chaque mois avec vos auteurs préférés, vos AUTEURS VEDETTE dans les collections Azur et Horizon.

Les AUTEURS VEDETTE vous donneront rendez-vous pour de nouveaux livres vedette.

Pour les reconnaître, cherchez l'étoile... Elle vous guidera!

Éditions Harlequin

AUT-R-R

LE FORUM DES LECTEURS ET LECTRICES

CHERS(ES) LECTEURS ET LECTRICES,

VOUS NOUS ETES FIDÈLES DEPUIS LONGTEMPS?

VOUS VENEZ DE FAIRE NOTRE CONNAISSANCE?

SI VOUS AVEZ DES COMMENTAIRES, DES CRITIQUES À FORMULER, DES SUGGESTIONS À OFFRIR, N'HÉSITEZ PAS… ÉCRIVEZ-NOUS À:

LES ENTERPRISES HARLEQUIN LTÉE.
498 RUE ODILE
FABREVILLE, LAVAL, QUÉBEC.
H7R 5X1

C'EST AVEC VOS PRÉCIEUX COMMENTAIRES QUE NOUS ALLONS POUVOIR MIEUX VOUS SERVIR.

DE PLUS, SI VOUS DÉSIREZ RECEVOIR UNE OU PLUSIEURS DE VOS SÉRIES HARLEQUIN PRÉFÉRÉE(S) À VOTRE DOMICILE, NE TARDEZ PAS À CONTACTER LE SERVICE D'ABONNEMENT; EN APPELANT AU (514) 875-4444 (RÉGION DE MONTRÉAL) OU 1-800-667-4444 (EXTÉRIEUR DE MONTRÉAL) OU TÉLÉCOPIEUR (514) 523-4444 OU COURRIER ELECTRONIQUE: AQCOURRIER@ABONNEMENT.QC.CA OU EN ÉCRIVANT À:

ABONNEMENT QUÉBEC
525 RUE LOUIS-PASTEUR
BOUCHERVILLE, QUÉBEC
J4B 8E7

MERCI, À L'AVANCE, DE VOTRE COOPÉRATION.

BONNE LECTURE.

HARLEQUIN.

VOTRE PASSEPORT POUR LE MONDE DE L'AMOUR.

Composé et édité par les
éditions Harlequin
Achevé d'imprimer en avril 2006

BUSSIÈRE
GROUPE CPI

à Saint-Amand-Montrond (Cher)
Dépôt légal : mai 2006
N° d'imprimeur : 60611 — N° d'éditeur : 12053

Imprimé en France